초등영문법

Longman GRAMMAR HOUSE 초등영문법 2

지은이 교재개발연구소
편집 및 기획 English Nine
발행처 Pearson Education South Asia Pte Ltd.
판매처 inkedu(inkbooks)
전화 02-455-9620(주문 및 고객지원)
팩스 02-455-9619
등록 제13-579호

ISBN 978-11-88228-48-5 (63740)

잘못된 책은 구입처에서 바꿔 드립니다.

GRAMMAR HOUSE

초등영문법

2

Introduction

GRAMMAR HOUSE 초등영문법 시리즈는
총 6권으로 영어 문법을 처음 시작하는 초등학생들이 초등영문법을
완전 마스터할 수 있게 구성되어 있습니다.
간략하고 쉬운 문법 설명과 반복되는 문제들을 풀다보면
어느새 문법이 친근하게 느껴집니다.

GRAMMAR HOUSE 2

Contents

실전모의고사 1회

실전모의고사 2회

실전모의고사 3회

Chapter 01 셀 수 없는 명사

1 의미

영어의 명사는 '셀 수 있는 명사'와 숫자와 함께 쓸 수 없는 '셀 수 없는 명사'가 있습니다. 셀 수 없는 명사란 우리가 한 개, 두 개 셀 수 없는 명사를 의미합니다. 필통 안에 들어 있는 연필들은 우리가 한 개, 두 개셀 수가 있지만 물(water)이나 우유(milk)와 같은 것은 셀 수가 없습니다. 이러한 명사를 '셀 수 없는 명사'라고 합니다.

2 셀 수 없는 명사

생각이나 느낌처럼 보이지 않는 것들	love 사랑 beauty 아름다움 anger 노여움 happiness 행복
사람이름, 도시이름, 국가이름	Jane 제인(사람이름) Korea 한국 Chicago 시카고 Busan 부산
과목	history 역사 math 수학 music 음악 art 미술 science 과학
스포츠	baseball 야구 soccer 축구 basketball 농구 hiking 하이킹
액체(녹아서 액체가 되는 것 포함)	water 물 milk 우유 coffee 커피 tea 차 ice 얼음
몇몇 음식물	salt 소금 cheese 치즈 bread 빵 rice 쌀
그 밖에 셀 수 없는 명사	money 돈 homework 숙제

Tips
- 사람이름이나 국가이름의 첫 번째 알파벳은 반드시 대문자로 써야 합니다.
- 소금이나 쌀, 모래처럼 수많은 알갱이로 이루어진 것들은 우리가 하나하나 셀 수가 없습니다.
- 셀 수 없는 명사 앞에는 부정관사 a나 an을 쓸 수 없으며, 단어 끝에 -s나 -es를 붙여 복수형을 만들 수도 없습니다.
  We need a salt. (x) (salt)   I like a Cathy. (x) (Cathy)   He lives in a China. (x) (China)

3 some의 사용

some은 '얼마간의', '다소의', '조금의'라는 의미를 가지고 있으며 셀 수 없는 명사나
복수명사 앞에 씁니다.

some + 셀 수 없는 명사 / 복수명사 ※이름 앞에는 some을 쓸 수 없습니다.	I have **some** apples. 나는 사과가 **조금** 있다. I have **some** salt. 나는 소금이 **조금** 있다. I have **some** water. 나는 물이 **조금** 있다.

1 다음 문장에서 셀 수 있는 명사와 셀 수 없는 명사를 골라 쓰세요.

	셀 수 있는 명사	셀 수 없는 명사
01 My mother is a nurse. 나의 어머니는 간호사다.	mother, nurse	
02 We learn math. 우리는 수학을 배운다.		
03 Jane drinks milk. 제인은 우유를 마신다.		
04 I like my friends. 나는 내 친구들을 좋아한다.		
05 Does Tom eat rice? 톰은 밥을 먹니?		
06 My uncle needs some ice. 나의 삼촌은 얼음이 조금 필요하다.		
07 His cousins are in the room. 그의 사촌들은 방에 있다.		
08 He doesn't drink coffee. 그는 커피를 마시지 않는다.		
09 The man has a horse. 그 남자는 말을 가지고 있다.		
10 Do you like cheese? 너는 치즈를 좋아하니?		

WORDS

nurse 간호사　learn 배우다　math 수학　friend 친구　rice 밥, 쌀　need 필요하다　ice 얼음
cousin 사촌　coffee 커피　horse 말　cheese 치즈

Practice **2**

셀 수 없는 명사 앞이나 복수명사 앞에는 부정관사 a나 an을 쓸 수 없습니다.

1 다음 단어 앞에 a나 an을 쓸 수 <u>없는</u> 단어에 O표 하세요.

01	_____ basket	○ money	_____ toy
02	_____ bag	_____ milk	_____ zebra
03	_____ orange	_____ banana	_____ ice
04	_____ dog	_____ coffee	_____ tiger
05	_____ umbrella	_____ water	_____ table
06	_____ onion	_____ Korea	_____ computer
07	_____ leg	_____ cousin	_____ Smith
08	_____ bed	_____ England	_____ pencil
09	_____ rice	_____ chair	_____ bus
10	_____ books	_____ lamp	_____ girl
11	_____ car	_____ soccer	_____ park
12	_____ potato	_____ student	_____ music
13	_____ star	_____ apple	_____ Jane
14	_____ car	_____ cat	_____ science
15	_____ salt	_____ teacher	_____ bus

WORDS

orange 오렌지 **tiger** 호랑이 **umbrella** 우산 **onion** 양파 **leg** 다리 **lamp** 등, 램프
soccer 축구 **potato** 감자 **music** 음악 **science** 과학 **salt** 소금

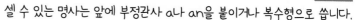

1 다음 밑줄 친 부분을 바르게 고치세요. (고칠 필요가 없으면 O표 하세요.)

01 I play <u>a basketball</u> with my friends. → basketball
나는 친구들과 농구를 한다.

02 I need <u>a water</u>. → _____
나는 물이 필요하다.

03 I meet <u>a Jane</u> every day. → _____
나는 제인을 매일 만난다.

04 I live in <u>a Canada</u>. → _____
나는 캐나다에 산다.

05 She needs <u>some orange</u>. → _____
그녀는 오렌지가 조금 필요하다.

06 She drinks <u>coffees</u> in the morning. → _____
그녀는 아침에 커피를 마신다.

07 I buy some <u>apples</u> every day. → _____
나는 매일 사과들을 조금 산다.

08 Jake and John learn <u>a history</u>. → _____
제이크와 존은 역사를 배운다.

09 I have <u>a money</u>. → _____
나는 돈이 조금 있다.

10 They eat <u>bread</u> every day. → _____
그들은 매일 빵을 먹는다.

11 Jane teaches <u>a science</u> at school. → _____
제인은 학교에서 과학을 가르친다.

12 My mother needs some <u>cheeses</u>. → _____
나의 어머니는 치즈가 조금 필요하다.

WORDS
basketball 농구 water 물 live 살다 in the morning 아침에 buy 사다 history 역사
money 돈 bread 빵 science 과학 cheese 치즈

 **Chapter 02 정관사**

 정관사의 의미

관사에는 부정관사 a나 an과 정관사 the가 있습니다. 부정관사 a나 an은 셀 수 있는 단수명사 앞에 사용하며 특별히 정해지지 않은 것을 의미합니다. 정관사 the는 특정한 것을 말할 때 명사 앞에 붙입니다. 이때 the를 '그 ~'라고 해석합니다.

> Tips 부정관사의 사용 - 부정관사는 셀 수 있는 단수명사를 처음 말할 때 사용합니다.
> I need **a** pencil. 나는 연필이 필요하다.
> I have **an** orange. 나는 오렌지가 있다.

 정관사의 사용

앞에서 말한 것을 다시 말할 때	I have a computer. **The** computer is very old. 나는 컴퓨터가 있다. 그 컴퓨터는 매우 오래되었다.
서로 알고 있는 것을 말할 때	Would you open **the** door? 문을 열어 주겠니? (어떤 문을 말하는지 알고 있음.)
세상에서 하나밖에 없는 명사 앞에	**the** sun 태양　　　　**the** moon 달 **the** sky 하늘　　　　**the** world 세상
play 뒤 악기이름 앞에	play **the** piano 피아노를 치다 play **the** guitar 기타를 치다

> Tips 정관사 the는 셀 수 있는 명사(단수/복수 앞에)와 셀 수 없는 명사 앞에 모두 올 수 있습니다.
> **the** students 그 학생들　　**the** boy 그 소년　　**the** water 그 물　　**the** salt 그 소금
> I know **the** boy. 나는 그 소년을 알고 있다.

 a/an 또는 the를 쓰지 않는 경우

식사이름 앞에	breakfast 아침식사　　lunch 점심식사　　dinner 저녁식사 I have **dinner** at seven. 나는 7시에 저녁식사를 한다.
운동이름 앞에	soccer 축구　　　　baseball 야구　　　　basketball 농구 I play **soccer** with my friends. 나는 친구들과 축구를 한다.
언어이름 앞에 ※첫 글자는 대문자로 씁니다.	English 영어　　　　French 프랑스어　　　Chinese 중국어 The students learn **French**. 그 학생들은 프랑스어를 배운다.

Guide

관사에는 부정관사 a나 an과 정관사 the가 있습니다.

1 다음 괄호 안에서 알맞은 것을 고르세요. (관사가 필요 없는 경우에는 X에 동그라미 하세요.)

01 They play (a / the / (X)) soccer after school.
그들은 방과 후 축구를 한다.

02 (A / The / X) moon is very bright tonight.
오늘 밤은 달이 매우 밝다.

03 We learn (a / the / X) Japanese.
우리는 일본어를 배운다.

04 I have (a / the / X) dinner at seven.
나는 7시에 저녁식사를 한다.

05 He has a bicycle. (A / The / X) bicycle is old.
그는 자전거가 있다. 그 자전거는 오래되었다.

06 Look at (a / an / the) sky.
하늘을 보아라.

07 Cathy plays (a / an / the) piano.
캐시는 피아노를 친다.

08 They play (a / the / X) baseball every Saturday.
그들은 매주 토요일에 야구를 한다.

09 There are a lot of people in (a / the / X) world.
세상에는 많은 사람들이 있다.

10 My sister doesn't eat (a / the / X) breakfast.
나의 여동생은 아침식사를 하지 않는다.

11 Sam swims in (a / the / X) sea.
샘은 바다에서 수영을 한다.

12 Do you know (a / the / X) girl in the café?
너는 카페에 있는 그 소녀를 알고 있니?

WORDS

soccer 축구　bright 밝은　tonight 오늘 밤　Japanese 일본어　sky 하늘　baseball 야구

a lot of 많은　people 사람들　world 세상　breakfast 아침식사　sea 바다　café 카페

Guide

앞에서 말한 것을 다시 말할 때 정관사 ~~the~~를 씁니다.

1 다음 괄호 안에서 알맞은 관사를 고르세요.

01 I have (ⓐ / an / the) cat. (A / An / ⓣ︎ʰᵉ) cat is black.
나는 고양이가 있다. 그 고양이는 검은색이다.

02 I have (a / the / X) magazine. (A / An / The) magazine is very interesting.
나는 잡지가 있다. 그 잡지는 매우 흥미롭다.

03 My mom has (a / an / the) car. (A / An / The) car is in the garage.
나의 엄마는 자동차가 있다. 그 자동차는 차고에 있다.

04 Would you open (a / an / the) window?
창문을 열어 주겠니?

05 I have (a / an / the) computer. I use (a / the / X) computer every day.
나는 컴퓨터를 가지고 있다. 나는 매일 그 컴퓨터를 사용한다.

06 Mary sings (a / an / the) song. (A / An / The) song is beautiful.
메리는 노래를 부른다. 그 노래는 아름답다.

07 He has (a / an / the) dog. He walks (a / the / X) dog every day.
그는 개가 있다. 그는 그 개를 매일 산책시킨다.

08 Look at (a / an / the) moon. (A / An / The) moon is very bright.
달을 보아라. 달이 매우 밝다.

09 I have (a / an / the) umbrella. (A / An / The) umbrella is yellow.
나는 우산이 있다. 그 우산은 노란색이다.

10 Amy is in (a / an / X) café. (A / An / The) café is very big.
에이미는 카페에 있다. 그 카페는 매우 크다.

11 (A / An / The) woman is at the bus stop. (A / An / The) woman is tall.
한 여성이 버스 정류장에 있다. 그 여성은 키가 크다.

12 I like (a / an / X) baseball. I play (a / an / X) baseball after school.
나는 야구를 좋아한다. 나의 방과 후에 야구를 한다.

WORDS

magazine 잡지　**interesting** 흥미로운　**garage** 차고　**window** 창문　**use** 사용하다
computer 컴퓨터　**song** 노래　**walk** 산책시키다　**moon** 달　**bright** 밝은　**umbrella** 우산

Practice 3

세상에서 하나밖에 없는 명사나 play 뒤 악기이름 앞에 the를 씁니다.

1 다음 우리말과 일치하도록 보기에서 단어를 골라 쓰세요. (필요하면 the를 붙이세요.)

| dinner | flute | world | English | baseball |
| milk | breakfast | sun | sky | tennis |

01 I have _____dinner_____ at seven.
나는 7시에 저녁식사를 한다.

02 My brother plays _____ well.
내 남동생은 플루트를 잘 연주한다.

03 My mom makes _____ for me.
나의 엄마는 나를 위에 아침식사를 만드신다.

04 _____ rises in the east.
태양은 동쪽에서 떠오른다.

05 My friends play _____ after school.
나의 친구들은 방과 후에 야구를 한다.

06 I drink _____ in the morning.
나는 아침에 우우를 마신다.

07 Birds fly in _____.
새들이 하늘에서 난다.

08 Jane and I play _____ every Sunday.
제인과 나는 매주 일요일에 테니스를 친다.

09 There are a lot of animals in _____.
세상에는 많은 동물들이 있다.

10 He is from Canada. He can speak _____.
그는 캐나다에서 왔다. 그는 영어로 말할 수 있다.

WORDS

world 세상 **English** 영어 **tennis** 테니스 **well** 잘 **rise** 떠오르다 **east** 동쪽
in the morning 아침에 **fly** 날다 **a lot of** 많은 **animal** 동물 **speak** 말하다

본문 강의

1 There is와 There are의 쓰임

There is / There are는 '~이 있다'라는 의미로 there는 우리말로 해석하지 않아도 됩니다.
There is 다음에는 단수명사가 오고, There are 다음에는 복수명사가 옵니다.

There is + (a / an) 단수명사 + 장소 (~이 있다)	There is **a book** on the desk. 책상 위에 책이 한 권 있다. There is **an apple** in the box. 상자 안에 사과가 하나 있다.
There are + (some) 복수명사 + 장소 (~들이 있다)	There are **books** on the desk. 책상 위에 책들이 있다. There are (some) **apples** in the box. 상자 안에 사과들이 (조금) 있다.

2 There is + 셀 수 없는 명사

There is 다음에는 셀 수 없는 명사가 올 수 있습니다.

There is + (some) 셀 수 없는 명사 + 장소 (~이 있다)	There is **some water** in the cup. 컵에 물이 조금 있다. There is **salt** in the bottle. 병에 소금이 있다.

> **Tips** some은 '조금의', '몇몇의'라는 의미로, 복수명사 앞이나 셀 수 없는 명사 앞에 올 수 있습니다.
> I have **some rice**. 나는 쌀이 조금 있다.
> I have **some oranges**. 나는 오렌지가 조금 있다.

There are
+복수명사

There is
+단수명사 /
셀 수 없는 명사

Guide

be동사 다음에 단수명사가 오면 is, 복수명사가 오면 are가 와야 합니다.

1 다음 괄호 안에서 알맞은 것을 고르세요.

01 There ((is) / are) a lamp on the desk.
책상 위에 등이 하나 있다.

02 There (is / are) students at the bus stop.
버스 정류장에 학생들이 있다.

03 There (is / are) some books in the box.
상자에 책들이 조금 있다.

04 There (is / are) some milk in the cup.
컵에 우유가 조금 있다.

05 There (is / are) a computer in the room.
방에 컴퓨터가 하나 있다.

06 There (is / are) spoons on the table.
식탁 위에 숟가락들이 있다.

07 There (is / are) bread on the table.
식탁 위에 빵이 있다.

08 There (is / are) some toys in the box.
상자에 장난감들이 조금 있다.

09 There (is / are) girls in the classroom.
교실에 소녀들이 있다.

10 There (is / are) cheese on the plate.
접시에 치즈가 있다.

11 There (is / are) five potatoes in the basket.
바구니에 감자가 5개 있다.

12 There (is / are) children in the room.
방에 아이들이 있다.

WORDS

lamp 등   **bus stop** 버스 정류장   **box** 상자   **milk** 우유   **room** 방   **spoon** 숟가락   **table** 식탁
bread 빵   **toy** 장난감   **classroom** 교실   **plate** 접시   **children** 아이들

1 다음 주어진 단어를 이용하여 빈칸에 알맞은 말을 쓰세요. (필요하면 관사나 복수형을 쓰세요.)

01 There are _____bears_____ in the zoo. (bear)
동물원에 곰들이 있다.

02 There are some _____ in the basket. (apple)
바구니에 사과가 조금 있다.

03 There is _____ in the room. (desk)
방에 책상이 하나 있다.

04 There is some _____ in the cup. (milk)
컵에 우유가 조금 있다.

05 There are _____ in the box. (tomato)
상자에 토마토들이 있다.

06 There is _____ in the pocket. (coin)
주머니에 동전이 하나 있다.

07 There is some _____ in the bowl. (rice)
그릇에 쌀이 조금 있다.

08 There are _____ in the park. (bench)
공원에 벤치들이 있다.

09 There is _____ on the table. (fork)
식탁 위에 포크가 하나 있다.

10 There are _____ in the room. (toy)
방에 장난감들이 있다.

11 There are _____ in the sky. (star)
하늘에 별들이 있다.

12 There is _____ on the wall. (picture)
벽에 그림이 한 점 있다.

WORDS

zoo 동물원 **basket** 바구니 **cup** 컵 **box** 상자 **pocket** 주머니 **coin** 동전 **bowl** 그릇
park 공원 **fork** 포크 **toy** 장난감 **wall** 벽 **picture** 그림

Guide

[There is + (a/an) 단수명사], [There are + (some) 복수명사] 형태입니다.

1 다음 우리말과 일치하도록 주어진 단어들을 알맞게 배열하세요. (필요하면 be동사를 쓰세요.)

01 바구니에 사과들이 있다. (apples / in the basket / there)

→ _____There are apples in the basket._____

02 상자에 감자들이 조금 있다. (some / potatoes / there / in the box)

→ _____

03 정원에 장미꽃들이 있다. (roses / there / in the garden)

→ _____

04 거실에 소파가 하나 있다. (a sofa / in the living room / there)

→ _____

05 교실에 나의 친구들이 있다. (there / my friends / in the classroom)

→ _____

06 농장에 소들이 있다. (on the farm / there / cows)

→ _____

07 차고에 차가 한 대 있다. (a car / there / in the garage)

→ _____

08 버스 정류장에 몇 명의 소녀들이 있다. (some girls / at the bus stop / there)

→ _____

09 빵 위에 치즈가 있다. (there / on the bread / cheese)

→ _____

10 방에 피아노가 한 대 있다. (a piano / there / in the room)

→ _____

11 바닥에 상자가 하나 있다. (on the floor / a box / there)

→ _____

12 나의 가방에 책들이 있다. (books / there / in my bag)

→ _____

WORDS

potato 감자　rose 장미　garden 정원　living room 거실　farm 농장　garage 차고
bus stop 버스 정류장　bread 빵　floor 바닥　bag 가방

Chapter 04

There is / There are
- 부정문과 의문문

 ① There is / There are 부정문

'(…에) ~이 없다'라는 의미로 be동사(is, are) 뒤에 not을 붙입니다.

There isn't[is not] + a(n) 단수명사 + 장소 (~이 없다)	**There isn't a book** on the desk. 책상에 책이 없다.
There aren't[are not] + (any) 복수명사 + 장소 (~이 없다)	**There aren't (any) books** in the bag. 가방에 책이 (하나도) 없다.
There isn't[is not] + (any) 셀 수 없는 명사 + 장소 (~이 없다)	**There isn't (any) water** in the bottle. 병에 물이 (조금도) 없다.

> **Tips** 부정문에서 셀 수 없는 명사나 복수명사와 함께 any를 붙이면, 그 명사가 하나도 없다는 의미를 만듭니다.

 ② There is / There are 의문문

'(…에) ~가 있니?'라는 의미로 be동사(is, are)를 there의 앞에 쓰고, 문장 끝에 물음표를 붙입니다.

Is there + a(n) 단수명사 + 장소 ~?	**Is there a book** on the desk? 책상에 책이 있니?
Are there + 복수명사 + 장소 ~?	**Are there books** in the bag? 가방에 책들이 있니?
Is there + 셀 수 없는 명사 + 장소 ~?	**Is there milk** in the bottle? 병에 우유가 있니?

 ③ 대답하기

~가 있니?	응, 있어.	아니, 없어.
Is there a book on the desk? 책상에 책이 있니?	Yes, there is.	No, there isn't.
Are there books in the bag? 가방에 책들이 있니?	Yes, there are.	No, there aren't.

Guide

'~이 없다'는 There is/are 구문의 be동사 뒤에 not을 붙입니다.

1 다음 그림을 보고, 괄호 안에서 알맞은 것에 동그라미 하세요.

01 (There are / There aren't) any apples in the basket.

02  (There is / There isn't) a computer on the desk.

03 (There are / There aren't) toys in the box.

04 (There is / There isn't) any water in the bottle.

05  There (is / are) some books on the shelf.

06  There (aren't / are) any roses in the garden.

07  A: Are there cars on the street?
B: (No, there isn't. / No, there aren't.)

08 A: Are there eggs in the basket?
B: (Yes, there are. / Yes, there is.)

09  A: Is there a sofa in the living room?
B: (Yes, there is. / Yes, there are.)

10  A: Are there children in the pool?
B: (Yes, there is. / Yes, there are.)

WORDS

basket 바구니 toy 장난감 bottle 병 shelf 선반 rose 장미 garden 정원 street 거리
sofa 소파 living room 거실 children 아이들 pool 수영장

의문문을 만들려면 명사의 수를 확인하여 be동사(is, are)를 there 앞에 씁니다.

1 다음 괄호 안에서 알맞은 것에 동그라미 하세요.

01 ((Is) / Are) there a girl in the room?
방에 소녀가 있니?

02 Are there any (child / children) on the playground?
놀이터에 아이들이 몇 명 있니?

03 (Is / Are) there cats on the sofa?
소파에 고양이들이 있니?

04 (Is / Are) there a shopping mall in your town?
너의 마을에 쇼핑몰이 있니?

05 Is there (a pencil / pencils) on the desk?
책상에 연필이 있니?

2 다음 질문에 알맞은 대답을 완성해 보세요.

01 A: Is there a library in town? 마을에 도서관이 있니?
B: Yes, _____there_____ _____is_____ .

02 A: Is there an eraser on the desk? 책상에 지우개가 있니?
B: No, _____ _____ .

03 A: Are there chairs in the classroom? 교실에 의자들이 있니?
B: Yes, _____ _____ .

04 A: Is there a bed in the room? 방에 침대가 있니?
B: No, _____ _____ .

05 A: Are there boxes on the floor? 바닥에 상자들이 있니?
B: Yes, _____ _____ .

WORDS

children 아이들 **playground** 놀이터 **sofa** 소파 **town** 마을, 도시 **library** 도서관
eraser 지우개 **chair** 의자 **classroom** 교실 **bed** 침대 **floor** 바닥

Guide

There is는 단수명사, There are는 복수명사와 함께 씁니다.

1 다음 우리말과 일치하도록 주어진 단어를 이용하여 문장을 완성하세요.

01 바구니에 딸기들이 있다. (strawberries / are)

→ _____There are strawberries_____ in the basket.

02 상자에 과자들이 하나도 없다. (aren't / any / cookies)

→ _____ in the box.

03 교실에 학생들이 있니? (are / students)

→ _____ in the classroom?

04 정원에 꽃들이 있다. (flowers / there)

→ _____ in the garden.

05 그 마을에 동물원이 있니? (is / a zoo)

→ _____ in town?

06 접시에 치즈가 있다. (cheese / there)

→ _____ on the plate.

07 식탁에 포크들이 조금 있다. (forks / there / some)

→ _____ on the table.

08 도서관에 컴퓨터들이 있니? (computers / there)

→ _____ in the library?

09 네 방에 피아노가 있니? (a piano / is)

→ _____ in your room?

10 병에 물이 조금도 없다. (any / water / isn't)

→ _____ in the bottle.

11 체육관에 학생들이 많지 않다. (many / students / aren't)

→ _____ in the gym.

12 차고에 노란 자동차가 있니? (a / yellow / car / is)

→ _____ in the garage?

WORDS

strawberry 딸기　classroom 교실　garden 정원　zoo 동물원　town 마을, 도시　cheese 치즈
plate 접시　fork 포크　bottle 병　gym 체육관　garage 차고

Review Test 1

공부한 날 :   부모님 확인 :

01> 다음 중 셀 수 없는 명사가 <u>아닌</u> 것을 고르세요.

① money   ② milk
③ school   ④ salt
⑤ baseball

【02~03】 다음 중 빈칸에 공통으로 들어갈 말을 고르세요.

02>
• I have _____ oranges.
• I have _____ salt.

① a   ② an
③ some   ④ any
⑤ many

03>
• I play _____ guitar.
• Would you open _____ window?

① a   ② an
③ the   ④ any
⑤ much

【04~05】 다음 중 밑줄 친 부분이 <u>잘못된</u> 것을 고르세요.

04> ① My mother is <u>a nurse</u>.
② We learn <u>math</u> at school.
③ He doesn't drink <u>coffee</u>.
④ He drinks <u>milk</u> in the morning.
⑤ I play <u>a baseball</u> with my friends.

05> ① I need some <u>water</u>.
② We live in <u>Korea</u>.
③ He has two <u>sisters</u>.
④ Jake and John learn <u>a history</u>.
⑤ They eat <u>bread</u> every day.

【06~08】 다음 괄호 안에서 알맞은 것을 고르세요.
(관사가 필요 없는 경우에는 X에 동그라미 하세요.)

06>

They play (a / the / X) soccer after school.

07>

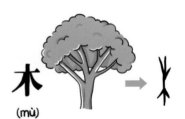

(mù)

We learn (a / the / X) Chinese.

08>

He has a bicycle.
(A / The / X) bicycle is red.

09> 다음 빈칸에 **the**가 올 수 <u>없는</u> 것을 고르세요.

① I have _____ lunch at noon.
② We play _____ piano.
③ Birds fly in _____ sky.
④ Look at _____ moon.
⑤ He can swim in _____ sea.

【10~11】 다음 빈칸에 알맞은 be동사를 현재형으로 쓰세요.

10>

There _____ some apples
in the basket.

11>

There _____ a bed in my
room.

【12~13】 다음 중 빈칸에 올 수 <u>없는</u> 것을 고르세요.

12>

There is _____ on the table.

① a book   ② an apple
③ a fork   ④ bananas
⑤ a spoon

13>

There are some _____ in the box.

① apples   ② coins
③ balls   ④ book
⑤ toys

【14~15】 다음 중 <u>어색한</u> 문장을 고르세요.

14> ① There are some books in the box.
② There are a computer in the room.
③ There is a boy in the room.
④ There are my friends in the room.
⑤ There is a dog on the sofa.

15> ① There is a table in the kitchen.
② There are a lot of stars in the sky.
③ There is a piano in the room.
④ There are my cousin in the living room.
⑤ There is a cat under the table.

16> 다음 중 대화의 질문에 알맞은 대답을 고르세요.

A: Are there books in the bag?
B: No, _____.

① it isn't   ② they aren't
③ there aren't   ④ I am not
⑤ we aren't

【17~19】 다음 그림을 보고 물음에 답하세요.

17> A: Is there a clock on the wall?

B: _____

18> A: Are there students in the classroom?

B: _____

19> A: Are there chairs in the classroom?

B: _____

20> 다음 중 우리말을 영어로 바르게 쓴 것을 고르세요.

> 가방에 책이 하나도 없다.

① There isn't any books in the bag.
② There aren't any books in the bag.
③ There aren't book in the bag.
④ There isn't book in the bag.
⑤ There aren't some book in the bag.

21> 다음 중 어색한 문장을 고르세요.

① There are some carrots in the box.
② I play the piano after school.
③ My friends learn a Japanese.
④ There isn't a fork on the table.
⑤ The sun rises in the east.

22> 다음 빈칸에 공통으로 들어갈 말을 쓰세요.

- There _____ five potatoes in the basket.
- There _____ children in the room.

→ _____

【23~25】 다음 문장에서 틀린 부분을 찾아 바르게 고쳐 쓰세요.

23> He doesn't drink a milk.

→ _____

24> There are a lot of animals in a world.

→ _____

25> Would you close a door?

→ _____

26> 다음 우리말과 일치하도록 빈칸에 들어갈 말을 보기에서 골라 쓰세요.

> is   are   isn't

(1) There _____ books on the desk.
책상에 책들이 있다.

(2) There _____ a box on the shelf.
선반에 상자가 있다.

(3) There _____ a cat on the bed.
침대에 고양이가 없다.

【27~28】 다음 우리말과 일치하도록 빈칸에 알맞은 말을 쓰세요.

27>

> 병에 물이 조금도 없다.

→ There _____ any water in the bottle.

28>

> 한 소년이 버스 정류장에 있다.
> 그 소년은 키가 크다.

→ _____ boy is at the bus stop. _____ boy is tall.

【29~30】 다음 우리말과 일치하도록 주어진 단어와 there를 이용하여 영어로 쓰세요.

29>

들판에 소들이 있다.
(cows / on the field)

→ _____

30>

병에 유유가 조금 있다.
(milk / some / in the bottle)

→ _____

본문 강의

① 반대 의미의 형용사

형용사란 사람의 기분·성격·외모 또는 사물의 크기·모양·색·수량·특징 등을 나타내는 말입니다.
다음은 반대 의미의 형용사들입니다.

clean	깨끗한	dirty	더러운
hot	뜨거운	cold	추운
tall	키가 큰	short	키가 작은
old	오래된, 나이 든	new	새로운
long	길이가 긴	short	짧은
big	큰	small	작은
fast	빠른	slow	느린
beautiful	아름다운	ugly	못생긴
hungry	배고픈	full	배부른
rich	부유한	poor	가난한
strong	강한	weak	약한

② 형용사 many와 much의 의미와 쓰임

many와 much는 '많은'이란 의미를 가지고 있으며, 명사 앞에 와서 명사를 꾸며주는 역할을 합니다.
many와 much는 의미는 같으나 쓰임이 다르므로 주의해야 합니다.

many 많은	many + 복수명사 There are **many** apples in the box. 상자 안에 사과가 많다. There are **many** children in the pool. 수영장에는 아이들이 많다.
much 많은	much + 셀 수 없는 명사 I don't have **much** money. 나는 돈이 많지 않다. Is there much **water** in the river? 강에 물이 많이 있니?

Tips
• many나 much는 a lot of(많은)로 바꿔 쓸 수 있습니다.
   I have **many**(= a lot of) oranges. 나는 많은 오렌지들이 있다.
   Does he have **much**(= a lot of) money? 그는 많은 돈이 있니?
• much는 주로 부정문과 의문문에 사용하고 긍정문에서는 much보다 a lot of를 많이 사용합니다.

형용사에는 서로 반대 의미를 갖는 것들이 있습니다.

1 다음 그림을 보고, 빈칸에 알맞은 말을 쓰세요.

01 The yellow shoes are _____ new _____ .
The brown shoes are old.

02 The towel is clean.
The T-shirt is _____ .

03 Summer is _____ .
Winter is cold.

04 The woman is rich.
The man is _____ .

05 The rabbit is _____ .
The turtle is slow.

06 The pencil _____ _____ .
The crayon is short.

07 Sam is strong.
Mike _____ _____ .

08 Cathy is tall.
Kevin _____ _____ .

WORDS

yellow 노란   **brown** 갈색의   **shoe** 신발   **old** 낡은   **towel** 수건   **T-shirt** 티셔츠   **summer** 여름
winter 겨울   **woman** 여자   **man** 남자   **rabbit** 토끼   **turtle** 거북   **crayon** 크레용   **strong** 강한

many와 much는 의미는 같으나 쓰임이 다르므로 주의해야 합니다.

1 다음 괄호 안에서 알맞은 것을 고르세요.

01 She doesn't have (many / much) pencils.
그녀는 많은 연필을 가지고 있지 않다.

02 I don't need (many / much) cucumbers.
나는 많은 오이가 필요하지 않다.

03 Do you need (many / much) salt?
너는 많은 소금이 필요하니?

04 There are (a lot of / much) students in the gym.
체육관에 많은 학생들이 있다.

05 Is there (many / much) water in the river?
강에 물이 많이 있니?

06 Are there (many / much) chairs in the restaurant?
식당에 의자가 많이 있니?

07 We buy (a lot of / much) apples.
우리는 많은 사과를 산다.

08 Is there (many / much) milk in the bottle?
병에 많은 우유가 있니?

09 Are there (many / much) animals in the zoo?
동물원에 많은 동물이 있니?

10 There are (many / much) eggs in the basket.
바구니에 많은 계란이 있다.

11 I have a lot of (coin / coins).
나는 동전이 많이 있다.

12 Does she have (many / a lot of) money?
그녀는 많은 돈이 있니?

WORDS

need 필요하다 **cucumber** 오이 **salt** 소금 **gym** 체육관 **river** 강 **restaurant** 식당

milk 우유 **animal** 동물 **zoo** 동물원 **basket** 바구니 **coin** 동전 **money** 돈

much는 주로 부정문과 의문문에 사용합니다.

1 다음 빈칸에 **many**와 **much** 중 알맞은 것을 쓰세요.

01 There are _____ many _____ students in the playground.
놀이터에 많은 학생들이 있다.

02 Does Sam drink _____ water every day?
샘은 매일 많은 물을 마시니?

03 He doesn't have _____ books.
그는 많은 책을 가지고 있지 않다.

04 The cook doesn't use _____ salt.
그 요리사는 많은 소금을 사용하지 않는다.

05 We don't have _____ snow in winter.
우리는 겨울에 눈이 많이 내리지 않는다.

2 다음 주어진 단어들을 바르게 배열해서 문장을 완성하세요.

01 톰은 깨끗한 수건을 가지고 있다. (clean / a / towel)
→ Tom has _____ a clean towel _____.

02 나는 차가운 물을 원한다. (water / cold)
→ I want _____.

03 그녀는 새로운 자동차가 필요하다. (car / new / a)
→ She needs _____.

04 샘은 작은 개를 가지고 있다. (dog / a / small)
→ Sam has _____.

05 제임스는 훌륭한 학생이다. (student / good / a)
→ James is _____.

WORDS

playground 놀이터   drink 마시다   every day 매일   cook 요리사   salt 소금   snow 눈

winter 겨울   clean 깨끗한   towel 수건   new 새로운   small 작은

본문 강의

① 부사의 역할

부사는 문장에서 동사, 형용사, 다른 부사를 좀 더 자세히 설명하여 문장의 내용을 좀 더 풍부하게 하는 역할을 합니다.

He walks **quickly**. 그는 빠르게 걷는다. (동사 수식)

Sam is **very** tall. 샘은 키가 매우 크다. (형용사 수식 – 부사는 형용사 앞에 위치합니다.)

He walks **very** slowly. 그는 매우 느리게 걷는다. (부사 수식 – 부사는 다른 부사를 꾸며줍니다.)

② 부사의 모양

주로 형용사에 -ly를 붙인 형태로 '~하게'의 의미를 갖고 있으며 동사 뒤에 위치합니다.

He walked **slowly**. 그는 느리게 걸었다.
My mom drives **carefully**. 나의 엄마는 조심스럽게 운전하신다.

대부분의 형용사 형용사 + ly	slow 느린 - slowly 느리게 　　 quick 빠른 - quickly 빠르게 loud 큰 - loudly 큰 소리로 　　 real 정말의 - really 정말로 His voice is **loud**. 그의 목소리는 크다. (loud 형용사) He sings **loudly**. 그는 큰 소리로 노래한다. (loudly 부사)
y로 끝나는 형용사 y를 i로 바꾸고 + ly	happy 행복한 - happily 행복하게 　　 easy 쉬운 - easily 쉽게 She is **happy**. 그녀는 행복하다. (형용사) She smiles **happily**. 그녀는 행복하게 웃는다. (부사 – 동사 smiles 수식)
le로 끝나는 형용사 e를 제거하고 + y	simple 단순한 - simply 단순하게 　　 gentle 부드러운 - gently 부드럽게 probable 그럴듯한 - probably 아마도 Kevin is kind and **gentle**. 케빈은 친절하고 다정하다. (형용사) The wind blows **gently**. 바람이 부드럽게 분다. (부사 – 동사 blows 수식)

> **Tips**
> • 명사에 -ly가 붙으면 부사가 아니고 형용사입니다.
> 　love 사랑(명사) → lovely 사랑스러운 (형용사)
> 　friend 친구 (명사) → friendly 친근한 (형용사)
> • fast는 부사와 형용사의 모양이 같습니다.
> 　She is a **fast** runner. (형용사) 그녀는 빠른 주자다.
> 　She runs **fast**. (부사) 그녀는 빨리 달린다.

1 다음 문장에서 밑줄 친 단어가 형용사인지 부사인지 쓰세요.

01 My mom walks <u>slowly</u>.   ⟶   부사
나의 엄마는 느리게 걷는다.

02 He is a <u>brave</u> man.   ⟶
그는 용감한 남자다.

03 She smiles <u>happily</u>.   ⟶
그녀는 행복하게 웃는다.

04 My dog runs <u>quickly</u>.   ⟶
나의 개는 빠르게 뛴다.

05 This is a <u>fresh</u> apple.   ⟶
이것은 신선한 사과다.

06 The teacher speaks <u>quietly</u>.   ⟶
그 선생님은 조용하게 말한다.

07 She pushes the button <u>gently</u>.   ⟶
그녀는 버튼을 부드럽게 누른다.

08 It is an <u>easy</u> question.   ⟶
그것은 쉬운 질문이다.

09 She tells me a <u>sad</u> story.   ⟶
그녀는 나에게 슬픈 이야기를 말해준다.

10 My dad drives <u>carefully</u>.   ⟶
나의 아빠는 조심스럽게 운전하신다.

11 My friends listen to <u>loud</u> music.   ⟶
나의 친구들은 소리가 큰 음악을 듣는다.

12 He speaks <u>kindly</u> to me.   ⟶
그는 내게 친절하게 말한다.

WORDS

walk 걷다   **brave** 용감한   **smile** 웃다   **fresh** 신선한   **speak** 말하다   **push** 누르다   **button** 버튼
question 질문   **story** 이야기   **drive** 운전하다   **listen** 듣다   **music** 음악

Practice 2

부사는 주로 형용사에 –ly를 붙인 형태로 '~하게'의 의미를 갖습니다.

1 다음 괄호 안에서 알맞은 것을 고르세요.

01 She answers (kind / (kindly)).
그녀는 친절하게 대답한다.

02 These are (real / really) flowers.
이것들은 진짜 꽃들이다.

03 The dog barks at me (loud / loudly).
그 개는 내게 큰 소리로 짖는다.

04 I like (soft / softly) bread.
나는 부드러운 빵을 좋아한다.

05 The boys swim (quick / quickly).
그 소년은 빠르게 수영한다.

06 They dance (happy / happily).
그들은 행복하게 춤을 춘다.

07 He is a (brave / bravely) soldier.
그는 용감한 군인이다.

08 Susan sings (beautiful / beautifully).
수잔은 아름답게 노래한다.

09 She smiles (gentle / gently) at me.
그녀는 내게 온화하게 미소 짓는다.

10 He has a (love / lovely) voice.
그는 사랑스러운 목소리를 지니고 있다.

11 Ted closes the door (quiet / quietly).
테드는 조용히 문은 닫는다.

12 You can solve the problem (easy / easily).
너는 그 문제를 쉽게 풀 수 있다.

WORDS

answer 대답하다　flower 꽃　bark 짖다　bread 빵　dance 춤 추다　soldier 군인
sing 노래하다　smile 미소 짓다　voice 목소리　close 닫다　solve 풀다　problem 문제

Guide

부사는 '~하게'의 의미를 갖고 있으며 주로 동사 뒤에 위치합니다.

1 다음 주어진 단어를 이용하여 빈칸에 쓰세요. (필요하면 단어를 변형하세요.)

01 **busy**

My father works _____busily_____ .

My father is _____ today.

02 **slow**

My friends walk _____ to school.

My friends are _____ swimmers.

03 **loud**

I don't listen to _____ music.

They talk _____ to me.

04 **kind**

Linda is very _____ .

Linda speaks _____ to children.

05 **beautiful**

My sister has a _____ voice.

My sister sings _____ .

06 **quiet**

She studies in a _____ place.

She always speaks _____ .

07 **happy**

My family lives _____ .

The movie has a _____ ending.

08 **easy**

It is an _____ question.

You can answer the question _____ .

WORDS

work 일하다 **today** 오늘 **swimmer** 수영선수 **listen** 듣다 **children** 아이들 **voice** 목소리
place 장소 **always** 언제나 **movie** 영화 **ending** 결말 **question** 질문

1 기수

기수는 사람이나 사물의 수를 세거나 나이, 연도, 전화번호, 시각 등을 표현할 때 쓰는 표현으로 1명, 2명, 3명 또는 10kg, 20kg, 30kg 등을 표현할 때 사용합니다.

사물의 수		**four** cats 고양이 네 마리	시각		at **ten** o'clock 10시
나이		**ten** years old 열 살	전화번호		001-3926-7540

> **Tips** 위의 전화번호는 zero zero one, three nine two six, seven five four zero로 읽습니다.

2 서수

서수란 사물의 순서를 나타내는 수로 1층, 2층, 3층 또는 첫 번째, 두 번째 등을 표현할 때 사용하며 정관사 the와 함께 씁니다.

순서		the **second** book 두 번째 책		the **third** floor 3층

3 기수와 서수

	기수		서수		기수		서수
1	one	1st	first	11	eleven	11th	eleventh
2	two	2nd	second	12	twelve	12th	twelfth
3	three	3rd	third	13	thirteen	13th	thirteenth
4	four	4th	fourth	14	fourteen	14th	fourteenth
5	five	5th	fifth	20	twenty	20th	twentieth
6	six	6th	sixth	21	twenty-one	21st	twenty-first
7	seven	7th	seventh	22	twenty-two	22nd	twenty-second
8	eight	8th	eighth	30	thirty	30th	thirtieth
9	nine	9th	ninth	40	forty	40th	fortieth
10	ten	10th	tenth	100	one hundred	100th	one hundredth

Tips

· 주의해야 할 서수와 기수

(1) twenty, thirty, forty, fifty, sixty, seventy, ninety 등을 서수로 만들 때 마지막 y를 ie로 바꾼 다음 -th를 붙이세요.

(2) nine - ninth (서수를 만들 때 e를 생략합니다.)

(3) four - forty (u를 생략합니다.)

· one을 제외한 기수 뒤에는 복수명사를, 모든 서수 뒤에는 단수명사를 씁니다.

I have **five** cats. 나는 고양이 다섯 마리가 있다.   Jessica is my **third** daughter. 제시카는 나의 셋째 딸이다.

Practice 1

Guide

수를 표현하는 방법에는 기수와 서수가 있습니다.

1 다음 숫자에 알맞은 기수와 서수를 쓰세요.

		기수	서수
01	11	→ eleven	eleventh
02	9	→	
03	12	→	
04	8	→	
05	3	→	
06	40	→	
07	50	→	
08	60	→	
09	80	→	
10	76	→	
11	81	→	
12	100	→	

WORDS

eleven 11   **eleventh** 11번째   **hundred** 100, 백

1 다음 괄호 안에서 알맞은 것을 고르세요.

01 I have (**two** / second) uncles.

02 My mom is (forty-five / forty-fifth) years old.

03 This is my (three / third) visit to Korea.

04 Today is my (one / first) day of school.

05 I get up at (seven / seventh) o'clock.

06 I live in the (second / two) house on the left.

07 There are (seven / the seventh) days in a week.

08 July is (seven / the seventh) month of the year.

09 There are (forty-one / forty-first) students in the gym.

10 There are twelve (apple / apples) in the basket.

11 She can speak (five / fifth) languages.

12 His office is on (ten / the tenth) floor.

13 My (two / second) son is a baseball player.

14 Julie has (five / fifth) classes today.

15 We need (thirty / thirtieth) oranges.

WORDS

uncle 삼촌   visit 방문하다   get up 일어나다   week 일주일   month 달, 월   year 연도, 해
gym 체육관   basket 바구니   language 언어   office 사무실   son 아들   class 수업   today 오늘

Guide
주의해야 할 서수와 기수를 기억하세요.

1 다음 밑줄 친 부분을 바르게 고쳐 쓰세요.

01 My sister is <u>tenth</u> years old. →   ten

02 There are <u>forth</u> seasons in a year. → _____

03 My mom has two yellow <u>bag</u>. → _____

04 There are <u>seventh</u> forks on the table. → _____

05 Jessica lives on the <u>nine</u> floor. → _____

06 Today is my <u>eleven</u> birthday. → _____

07 The shirt is <u>thirty-first</u> dollars. → _____

08 Today is the <u>two</u> day of the New Year. → _____

09 Mike has <u>third</u> red pencils. → _____

10 We are going to take a rest for <u>tenth</u> minutes. → _____

11 I want <u>fifth</u> pieces of pizza. → _____

12 There are thirty <u>day</u> in the month of September. → _____

13 This is my <u>three</u> visit to this restaurant. → _____

14 I am 15 years old and my weight is <u>50th</u> kg. → _____

15 She is going to win <u>one</u> prize in the competition. → _____

WORDS

season 계절   **year** 연도, 해   **bag** 가방   **fork** 포크   **floor** 바닥, 층   **birthday** 생일   **dollar** 달러
take a rest 쉬다   **piece** 조각   **September** 9월   **restaurant** 식당   **weight** 몸무게   **competition** 대회

1 숫자 읽기 숫자가 천 단위 이상이면, 뒤에서 세 자리씩 끊어서 기수로 읽습니다.

202	two hundred two	770	seven hundred seventy
6,008	six thousand eight	2,954	two thousand nine hundred fifty-four
1,576	one thousand five hundred seventy-six	1,600	one thousand six hundred

> Tips one, two 등과 함께 hundred나 thousand를 쓸 때 끝에 -s를 붙이지 않습니다.
> two thousand 이천　three thousand 삼천　hundred thousand 십만　two hundred 이백

2 전화번호 읽기 기수로 표현하며 한 자리씩 읽어 나갑니다.

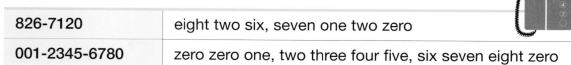

826-7120	eight two six, seven one two zero
001-2345-6780	zero zero one, two three four five, six seven eight zero

> Tips 같은 숫자가 연속해서 2개 나오면 [double+해당 숫자]로 읽을 수 있습니다.
> 예 123-4566: one two three, four five double six

3 연도 모든 연도는 기수로 표현하며, 뒷자리 연도가 10 이상으로 끝나면 두 자리씩 끊어 읽습니다

1984년 - 19/84	nineteen eighty-four	1910년 - 19/10	nineteen ten
1870년 - 18/70	eighteen seventy	1754년 - 17/54	seventeen fifty-four

> Tips ·뒷자리 연도가 01, 02 등으로 끝날 때에는 앞의 두 자리를 읽고 0을 oh라고 읽고, 다음 숫자를 읽습니다.
>
> | 1909년 | nineteen oh nine | 1705년 | seventeen oh five |
> |---|---|---|---|
>
> ·뒷자리 연도가 00으로 끝날 때에는 앞의 두 자리를 읽고 hundred를 붙입니다.
>
> | 1900년 | nineteen hundred | 1800년 | eighteen hundred |
> |---|---|---|---|
>
> ·2000년도 이후는 보이는 수대로 읽습니다.
>
> | 2010년 | two thousand (and) ten | 2002년 | two thousand (and) two |
> |---|---|---|---|
> | 2021년 | two thousand (and) twenty-one | 2025년 | two thousand (and) twenty-five |

4 날짜 서수로 표현합니다.

10월 7일	October (the) seventh / the seventh of October
7월 4일	July (the) fourth / the fourth of July

2016년 3월 5일	March (the) fifth, two thousand sixteen ※연도를 나중에 읽습니다.

> Tips 날짜를 표현할 때 서수 앞에 정관사 the를 생략하기도 합니다.
> 1월 - January 2월 - February 3월 - March 4월 - April 5월 - May 6월 - June 7월 - July
> 8월 - August 9월 - September 10월 - October 11월 - November 12월 - December

⑤ 돈을 읽는 법 기수로 표현하며, 숫자 뒤에 화폐단위를 읽습니다.

$85	eighty-five dollars	$2,015	two thousand fifteen dollars
$5,243	five thousand two hundred forty-three dollars	$1,004	one thousand four dollars

Practice 1

Guide
숫자가 천 단위 이상이면, 뒤에서 세 자리씩 끊어서 기수로 읽습니다.

1 다음 괄호 안에서 알맞은 것을 고르세요.

01 2010년 (~~two thousand ten~~ / two thousand tenth)

02 1991년 (nineteen ninety-one / nineteen ninety-first)

03 다섯 번째 가방 (five bags / the fifth bag)

04 전화번호 1025-4562 (one zero two five, four five six two / one zero two five, forty-five sixth two)

05 $756 (seven hundred fifty-six dollars / seven hundred fifty-sixth dollars)

06 903 (nine hundred three / nine hundreds three)

07 4학년 (four grade / the fourth grade)

08 2020년 1월 21일 (January twenty-first, two thousand twenty / two thousand twenty, the twenty-first January)

WORDS
thousand 1000, 천 **tenth** 10번째 **dollar** 달러 **grade** 학년 **January** 1월

Practice 2

1 다음 숫자를 영어로 쓰세요.

01 $926   ⟶   *nine hundred twenty-six dollars*

02 1909년   ⟶

03 9월 4일   ⟶

04 2001년 7월 16일   ⟶

05 $1,520   ⟶

06 5월 5일   ⟶

07 8032-3255 (전화번호)   ⟶

08 2016년 3월 5일   ⟶

09 $523   ⟶

10 2020년   ⟶

11 10월 15일   ⟶

12 8월 3일   ⟶

13 2,954   ⟶

14 1995년 10월 5일   ⟶

15 $250   ⟶

WORDS

hundred 백, 100   **twenty** 20   **dollar** 달러   **September** 9월   **fourth** 4번째   **July** 7월

May 5월   **zero** 제로, 0   **double** 2배의   **March** 3월   **October** 10월   **August** 8월

돈은 기수로 표현하며, 숫자 뒤에 화폐단위를 읽습니다.

1 다음 빈칸에 알맞은 숫자를 쓰세요.

01 two thousand eleven → 2011 년

02 three thousand five dollars → $ _____

03 one hundred fifty-nine → _____

04 November (the) ninth → _____

05 May (the) twenty-first → _____

06 two five zero three, eight double nine zero → _____

07 three hundred seventy-five → _____

08 two thousand twenty-one → _____ 년

09 nineteen hundred → _____ 년

10 the thirty-first → _____ 일

11 one thousand, three hundred dollars → $ _____

12 the fifth grade → _____ 학년

13 three thousand, five hundred thirty dollars → $ _____

14 five three nine zero, two seven three four → _____

15 March twenty-first, two thousand eleven → _____

WORDS

thousand 천, 1000　**hundred** 백, 100　**November** 11월　**ninth** 9번째　**zero** 0, 제로　**fifth** 5번째
grade 학년　**thirty** 30　**March** 3월

공부한 날 :　　　　　부모님 확인 :

01> 다음 중 형용사의 반대말로 짝지어지지 <u>않은</u> 것을 <u>고르세요</u>.

① old - new　② fast - slow
③ sad - happy　④ long - high
⑤ rich - poor

【02~03】 다음 중 빈칸에 알맞은 것을 <u>고르세요</u>.

02> There are many _____ in the basket.

① an apple　② money
③ toys　④ cheese
⑤ milk

03> There isn't much _____ in the box.

① oranges　② money
③ toys　④ coins
⑤ a book

【04~05】 다음 우리말과 일치하도록 그림을 보고 빈칸에 알맞은 말을 쓰세요.

04>

Cathy is tall. 캐시는 키가 크다.

Kevin is _____.
케빈은 키가 작다.

05>

My T-shirt is clean.
내 티셔츠는 깨끗하다.

His T-shirt is _____.
그의 티셔츠는 더럽다.

06> 다음 중 부사가 <u>아닌</u> 것을 고르세요.

① quickly　② happily
③ friendly　④ simply
⑤ slowly

【07~08】 다음 그림을 보고 주어진 단어를 이용하여 빈칸에 알맞은 말을 쓰세요.

07> careful

→ He drives _____.

08> easy

→ I fall asleep very _____.

【09~10】 다음 중 밑줄 친 부분이 바르지 <u>않은</u> 것을 고르세요.

09> ① The boys sing <u>loudly</u>.
② The boy speaks <u>quickly</u>.
③ They are <u>kind</u> students.
④ They walk <u>slowly</u>.
⑤ She smiles <u>happy</u>.

10> ① There are <u>many books</u> in the room.
② She has <u>a lot of money</u>.
③ There are <u>many cars</u> on the street.
④ We have <u>a lot of cheese</u>.
⑤ There are <u>many child</u> in the zoo.

11> 다음 중 빈칸에 공통으로 들어갈 말을 고르세요.

• Mike has a _____ car.
• Sam runs _____ .

① fast　　　　② clean
③ quick　　　④ happy
⑤ easy

12> 다음 중 기수와 서수의 연결이 <u>어색한</u> 것을 고르세요.

① four - fourth
② nine - nineth
③ ten - tenth
④ twenty - twentieth
⑤ fourteen - fourteenth

【13~14】 다음 그림을 보고 빈칸에 알맞은 말을 보기에서 골라 쓰세요.

13>

three / third

→ I live in the _____ house on the left.

14>

thirty-one / thirty-first

	January					
Mon	Tue	Wed	Thur	Fri	Sat	Sun
	1	2	3	4	5	6
7	8	9	10	11	12	13
14	15	16	17	18	19	20
21	22	23	24	25	26	27
28	29	30	31			

→ There are _____ days in January.

15> 다음 숫자에 알맞은 기수와 서수를 쓰세요.

　　　　　　기수　　　　서수

(1) 23 → _____　_____

(2) 40 → _____　_____

16> 다음 중 밑줄 친 부분이 <u>어색한</u> 것을 고르세요.

① There are <u>six forks</u> on the table.
② His office is on <u>the tenth floor</u>.
③ She can speak <u>three languages</u>.
④ Julie has <u>third classes</u> today.
⑤ Today is my <u>first day</u> of school.

【17~18】 다음 중 수 읽기가 **잘못된** 것을 고르세요.

17> ① 2016: two thousand sixteen
② 826-7120: eight two six, seven one two zero
③ 6월 5일: June (the) fifth
④ $85: eight-five dollars
⑤ 508: five hundred eight

18> ① 2016년 3월 10일: March (the) tenth, two thousand sixteen
② $2,015: two thousand fifteen dollars
③ 10월 21일: October (the) twenty-second
④ 1997년: nineteen ninety-seven
⑤ 3,956: three thousand nine hundred fifty-six

【19~20】 다음 달력을 보고 알맞은 달과 날짜를 영어로 쓰세요.

19>

Mon	Tue	Wed	Thur	Fri	Sat	Sun
	1	2	3	4	5	6
7	8	9	10	11	12	13
14	15	16	17	18	19	20
21	22	23	24	25	26	27
28	29	30	31			

3

달 _____ 날짜 _____

20>

Mon	Tue	Wed	Thur	Fri	Sat	Sun
	1	2	3	4	5	6
7	8	9	10	11	12	13
14	15	16	17	18	19	20
21	22	23	24	25	26	27
28	29	30	31			

8

달 _____ 날짜 _____

21> 다음 영어를 숫자로 쓰세요.

(1) seven thousand nine hundred fifty-six dollars

→ $ _____

(2) two thousand five

→ _____ 년

(3) April (the) sixth, two thousand sixteen

→ _____ 년 _____ 월 _____ 일

(4) November the twenty-first

→ _____ 월 _____ 일

22> 다음 중 대화의 빈칸에 알맞은 것을 고르세요.

A: What date is it today?
B: It is _____

① two thousand nineteen
② eight-five dollars
③ January (the) fifth
④ Sunday
⑤ fifty-third

23> 다음 빈칸에 **many**와 **much** 중 알맞은 말을 쓰세요.

(1) There are _____ flowers in the garden.

(2) Do you drink _____ water every day?

【24~25】 다음 주어진 단어를 바르게 배열하여 문장을 쓰세요.

24>
walk / slowly / can
그 아기는 천천히 걸을 수 있다.

→ The baby _____ .

25>
has / a beautiful / voice
내 여동생은 아름다운 목소리를 가졌다.

→ My sister _____ .

【26~27】 다음 그림을 보고 주어진 단어를 이용하여 빈칸에 알맞은 말을 쓰세요.

26> quiet

(1) They study in a _____ place.

(2) They always speak _____ .

27> slow

(1) He walks _____ .

(2) The turtles are very _____ .

28> 다음 중 어색한 문장을 고르세요.

① I get up at seven o'clock.
② She has a lot of pencils.
③ This is my two visit to Korea.
④ This is a new computer.
⑤ I have two hundred five dollars.

29> 다음 주어진 숫자를 영어로 쓰세요.

(1) $2,160

→ _____

_____

(2) 2012년

→ _____

_____

(3) 5월 15일

→ _____

(4) 457 - 5408(전화번호)

→ _____

_____

30> 다음 밑줄 친 부분을 바르게 고치세요.

(1) 6,018 - six thousands eighteen

→ _____

(2) 9월 17일 - September (the) seventh

→ _____

be동사 과거형

본문 강의

① be동사의 과거형

과거형은 과거에 있었던 동작이나 상태를 표현할 때 사용하며, be동사 am/is/are의 과거형은 was와 were로 '~이었다', '~에 있었다' 등의 의미를 가지고 있습니다.

주어	현재형	과거형
I	am	was
He, She, It, This, That (3인칭 단수)	is	was
We, You, They, These, Those (1, 2, 3인칭 복수)	are	were

I **am** hungry. → I **was** hungry. 나는 배가 고팠다.

We **are** in the classroom. → We **were** in the classroom. 우리는 교실에 있었다.

> Tips 과거형에는 과거를 나타내는 표현과 함께 올 수 있습니다.
> yesterday 어제   last night 지난밤   last week 지난주
> I **was** busy **yesterday**. 나는 어제 바빴다.

② be동사의 과거형 부정문

be동사의 과거형 부정문은 was나 were 뒤에 not을 씁니다.

be동사의 과거형 부정문 was not은 wasn't로, were not은 weren't로 줄여 쓸 수 있습니다.

was not → wasn't	I **was not** hungry. → I **wasn't** hungry. 나는 배가 고프지 않았다.
were not → weren't	We **were not** in the classroom. → We **weren't** in the classroom. 우리는 교실에 있지 않았다.

③ be동사의 과거형 의문문

be동사의 과거형 의문문을 만들 때에는 be동사를 주어 앞으로 이동하고 문장 끝에 물음표를 붙입니다.

He was at home.	→ **Was** he at home? 그는 집에 있었니?
They were busy yesterday.	→ **Were** they busy yesterday? 그들은 어제 바빴니?

④ be동사의 과거형 의문문에 대답하기

질문	응, 그래.	아니, 그렇지 않아.
Were you(너) ~?	Yes, I was.	No, I wasn't.

Were you(너희들) ~?	Yes, we were.	No, we weren't.
Were they ~?	Yes, they were.	No, they weren't.
Was he/she ~?	Yes, he/she was.	No, he/she wasn't.
Was it ~?	Yes, it was.	No, it wasn't.

⑤ be동사의 과거형 문장

be동사 뒤에는 명사, 형용사, [전치사+명사(장소)]가 올 수 있습니다.

be + 명사	They **were** farmers. 그들은 농부였다.
be + 형용사	He **was** not hungry. 그는 배가 고프지 않았다.
be + 전치사 + 명사	I **was** in Korea last week. 나는 지난주에 한국에 있었다.

Tips 전치사란 명사 앞에 와서 명사의 의미를 좀 더 구체적으로 표현하는 역할을 합니다. in, at, on, with, to 등이 전치사이며 이들은 혼자 오지 않고 명사/대명사와 함께 합니다. (전치사는 Chapter 13에서 다루고 있습니다).

Practice 1

Guide
be동사 am/is/are의 과거형은 was와 were로 사용합니다.

1 다음 빈칸에 **was** 또는 **were**를 써서 문장을 완성하세요.

01 I _____was_____ at home yesterday.

02 He _____ in the classroom.

03 They _____ singers.

04 We _____ hungry last night.

05 The dog _____ small.

06 Brian _____ sick yesterday.

07 The movies _____ interesting.

WORDS

yesterday 어제 **classroom** 교실 **singer** 가수 **hungry** 배고픈 **last night** 지난밤
sick 아픈 **movie** 영화 **interesting** 재미있는

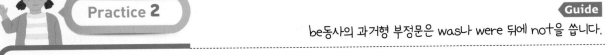

1 다음 현재형 문장을 과거형 문장과 과거형 부정문으로 바꿔 쓰세요. (축약형으로 쓰세요.)

01 I am in my room.

과거형 긍정문 _____ I was in my room. _____

과거형 부정문 _____ I wasn't in my room. _____

02 There is a spoon on the table.

과거형 긍정문 _____

과거형 부정문 _____

03 We are good students.

과거형 긍정문 _____

과거형 부정문 _____

04 He is hungry.

과거형 긍정문 _____

과거형 부정문 _____

05 Tom is with his friends.

과거형 긍정문 _____

과거형 부정문 _____

06 We are good at English.

과거형 긍정문 _____

과거형 부정문 _____

07 My room is clean.

과거형 긍정문 _____

과거형 부정문 _____

08 They are on the table.

과거형 긍정문 _____

과거형 부정문 _____

WORDS

room 방 **spoon** 숟가락 **table** 식탁 **hungry** 배고픈 **with** ~와 함께 **be good at** ~을 잘하다
English 영어 **clean** 깨끗한

be동사의 과거형 의문문은 be동사를 주어 앞으로 이동합니다.

1 다음 대화를 be동사 과거형 의문문으로 만들고, 물음에 답하세요. (과거형으로 쓰세요.)

01 A: _____Was_____ he at home yesterday?

B: Yes, he _____was_____ .

02 A: _____ you late for school?

B: No, I _____ .

03 A: _____ your mom busy yesterday?

B: No, _____ _____ .

04 A: _____ they in Korea last year?

B: Yes, _____ _____ .

05 A: _____ she a famous singer?

B: No, _____ _____ .

06 A: _____ the pencils on the desk?

B: Yes, _____ _____ .

07 A: _____ the movie interesting?

B: Yes, _____ _____ .

08 A: _____ your brothers hungry?

B: No, _____ _____ .

09 A: _____ the cat on the sofa?

B: Yes, _____ _____ .

10 A: _____ his father a farmer?

B: No, _____ _____ .

WORDS

home 집   late 늦은   school 학교   busy 바쁜   last year 작년   famous 유명한   pencil 연필
movie 영화   interesting 재미있는   hungry 배고픈   sofa 소파   farmer 농부

본문 강의

 ① 일반동사 과거형

주어의 과거 동작이나 상태를 나타낼 때 쓰는 동사의 형태로, 규칙 변화 과거형과 불규칙 변화 과거형이 있습니다.

I **study** English. 나는 영어 공부를 한다.
I **studied** English. 나는 영어 공부를 했다. (과거)

② 규칙 변화 과거형

일반동사를 과거형으로 만들 때 대부분의 경우 동사에 -ed를 붙입니다.

대부분의 경우: 동사원형에 **-ed**를 붙입니다.	work 일하다 → work**ed** walk 걷다 → walk**ed** call 부르다 → call**ed**
-e로 끝나는 경우: **-d**만 붙입니다.	live 살다 → live**d** like 좋아하다 → like**d** die 죽다 → die**d**
[자음+y]로 끝나는 경우: y를 i로 바꾸고 **-ed**를 붙입니다.	study 공부하다 → stud**ied** try 노력하다 → tr**ied** worry 걱정하다 → worr**ied**
[모음+y]로 끝나는 경우: y 뒤에 **-ed**를 붙입니다.	play 놀다 → play**ed** enjoy 즐기다 → enjoy**ed** stay 머무르다 → stay**ed**

↳ [a, e, i, o, u]

 ③ 불규칙 변화 과거형

모든 일반동사에 -ed를 붙여서 과거형을 만드는 것은 아닙니다. -ed를 붙여서 과거형을 만들 수 없는 동사를 불규칙 동사라고 합니다. 이러한 동사들은 외워야 합니다.

동사원형	과거형	동사원형	과거형	동사원형	과거형
say 말하다	said	come 오다	came	send 보내다	sent
become ~이 되다	became	buy 사다	bought	sing 노래하다	sang
eat 먹다	ate	have 가지고 있다 / 먹다	had	sit 앉다	sat
make 만들다	made	know 알다	knew	go 가다	went

Tips 과거형이 현재형과 같은 경우도 있습니다.
　　 hit (치다) - hit　　　read (읽다) - read[red]　　　cut (자르다) - cut

Practice 1

주어의 과거 동작이나 상태를 나타낼 때 과거형 동사를 씁니다.

1 다음 괄호 안에서 알맞은 것을 고르세요.

01 I (play / (played)) soccer yesterday.
나는 어제 축구를 했다.

02 He (live / lived) in England for 2 years.
그는 영국에 2년 동안 살았다.

03 She (watching / watched) TV last night.
그녀는 어젯밤 TV를 봤다.

04 They (knows / knew) my name.
그들은 나의 이름은 알았다.

05 The baby (cryed / cried) all night.
그 아기는 밤새 울었다.

06 My sister (eated / ate) the apple pie.
내 여동생이 그 사과 파이를 먹었다.

07 Helen (visit / visited) New York last year.
헬렌은 지난해 뉴욕을 방문했다.

08 The man (drinked / drank) the coffee.
그 남자가 커피를 마셨다.

09 My teacher (sended / sent) me an email.
나의 선생님이 내게 이메일을 보내셨다.

10 My friends (comes / came) to my birthday party.
내 친구들이 나의 생일 파티에 왔다.

11 The students (walks / walked) to school yesterday.
그 학생들은 어제 학교에 걸어갔다.

12 I (buys / bought) some apples at the market.
나는 시장에서 사과를 좀 샀다.

WORDS

soccer 축구 yesterday 어제 England 영국 name 이름 cry 울다 all night 밤새
visit 방문하다 coffee 커피 send 보내다 birthday 생일 party 파티 market 시장

1 다음 빈칸에 주어진 동사의 올바른 과거형을 써서 문장을 완성하세요.

01 They _____swam_____ in the sea. (swim)
그들은 바다에서 수영을 했다.

02 I _____ to the library last Sunday. (go)
나는 지난주 일요일에 도서관에 갔다.

03 Cathy _____ a song on stage. (sing)
캐시는 무대에서 노래했다.

04 I _____ some cookies. (bake)
나는 과자를 좀 구웠다.

05 She _____ her mom at the café. (meet)
그녀는 카페에서 그녀의 엄마를 만났다.

06 We _____ breakfast at 7. (eat)
우리는 7시에 아침식사를 했다.

07 The train _____ at the station. (arrive)
기차가 역에 도착했다.

08 Cathy _____ me a lie. (tell)
캐시가 내게 거짓말을 했다.

09 Mary _____ a backpack yesterday. (buy)
메리는 어제 배낭을 샀다.

10 Mr. Smith _____ us math. (teach)
스미스 선생님은 우리에게 수학을 가르치셨다.

11 I _____ the magazine. (read)
나는 그 잡지를 읽었다.

12 My grandmother _____ me a card. (send)
나의 할머니가 내게 카드를 보내셨다.

WORDS

sea 바다　library 도서관　Sunday 일요일　stage 무대　café 카페　breakfast 아침식사

station 역　backpack 배낭　math 수학　magazine 잡지　grandmother 할머니　card 카드

1 다음 현재형 문장을 과거형 문장으로 바꿔 써보세요.

01 I drink some milk.
→ _____ I drank some milk.

02 I make a big cake.
→ _____

03 They work hard all the time.
→ _____

04 My brother gets up early.
→ _____

05 Cindy plays the guitar after school.
→ _____

06 My mom buys fresh vegetables at the market.
→ _____

07 My dad drives carefully.
→ _____

08 She goes shopping with her mom.
→ _____

09 We love K-pop music.
→ _____

10 He learns Chinese at school.
→ _____

11 He uses the computer at night.
→ _____

12 Paul writes a letter to me.
→ _____

WORDS

hard 열심히　**all the time** 항상　**early** 일찍　**guitar** 기타　**after school** 방과 후에　**fresh** 신선한
vegetable 야채　**market** 시장　**carefully** 주의 깊게　**learn** 배우다　**Chinese** 중국어　**letter** 편지

Chapter 11

일반동사 과거형 – 부정문/의문문

본문 강의

1 일반동사 과거형 부정문

현재형 일반동사가 있는 문장의 부정문은 주어에 따라 do not[don't]나 does not[doesn't]를 사용하지만 과거형 일반동사가 있는 문장의 부정문은 주어와 상관없이 동사 앞에 did not[didn't]만 붙입니다.

현재형: I **don't** go to the park.　　He **doesn't** go to the park. 그는 공원에 가지 않는다.

과거형: I **didn't** go to the park.　　He **didn't** go to the park. 그는 공원에 가지 않았다.

2 일반동사 과거형 부정문 만들기

동사의 앞에 did not을 붙이고, 동사를 원형으로 바꿔 씁니다. did not은 didn't로 줄여 쓸 수 있습니다.

주어 (단수/복수)	did not[didn't] + 동사원형 ~.

We **learned** English. 우리는 영어를 배웠다.

→ We **did not[didn't] learn** English. 우리는 영어를 배우지 않았다.

She **walked** to school yesterday. 그녀는 어제 학교에 걸어갔다.

→ She **did not[didn't] walk** to school yesterday. 그녀는 어제 학교에 걸어가지 않았다.

3 일반동사 과거형의 의문문 만들기

일반동사 과거형 의문문을 만들 때는 Did만을 사용합니다. 주어 앞에 Did를 쓰고 동사를 원형으로 바꾼 뒤, 문장의 끝에 물음표를 붙여줍니다.

Did	주어(단수, 복수) + 동사원형 ~?

You **watched** TV last night. 너는 어젯밤에 TV를 봤다.

→ **Did** you **watch** TV last night? 너는 어젯밤에 TV 봤니?

He **went** to the library. 그는 도서관에 갔었다.

→ **Did** he **go** to the library? 그는 도서관에 갔니?

4 일반동사 과거형 의문문에 대한 대답

질문	응, 그래.	아니, 그렇지 않아.
Did you(너) ~?	Yes, I did.	No, I didn't.
Did you(너희) ~?	Yes, we did.	No, we didn't.
Did they ~?	Yes, they did.	No, they didn't.

| Did he/she ~? | Yes, he/she did. | No, he/she didn't. |
| Did it ~? | Yes, it did. | No, it didn't. |

Tips 질문의 주어가 인칭대명사가 아니더라도 대답은 반드시 인칭대명사로 해야 합니다.
A: Did **your father** work at a bank? 네 아버지는 은행에서 일하셨니?
B: Yes, **he** did. / No, **he** didn't.

Practice 1

과거형 일반동사의 부정문은 주어와 상관없이 did not(didn't)를 사용합니다.

Guide

1 다음 문장을 부정문으로 만들 때 빈칸에 알맞은 표현을 쓰세요.

01 They played baseball.
→ They _____didn't_____ _____play_____ baseball.

02 I studied English after school.
→ I _____ _____ English after school.

03 He went swimming this morning.
→ He _____ _____ swimming this morning.

04 He played computer games.
→ He _____ _____ computer games.

05 She used my computer.
→ She _____ _____ my computer.

06 They got up early today.
→ They _____ _____ _____ early today.

07 My dad washed the dishes.
→ My dad _____ _____ the dishes.

08 Sam did his homework.
→ Sam _____ _____ his homework.

WORDS

baseball 야구 **after school** 방과 후에 **morning** 아침 **computer game** 컴퓨터 게임
use 사용하다 **get up** 일어나다 **today** 오늘 **wash the dishes** 설거지하다 **homework** 숙제

1 다음 문장을 의문문으로 만들 때 빈칸에 알맞은 표현을 쓰세요.

01 You learned English at school.

→ _____Did_____ you _____learn_____ English at school?

02 She liked Kevin.

→ _____ she _____ Kevin?

03 They bought the boxes.

→ _____ they _____ the boxes?

04 He wrote an email.

→ _____ he _____ an email?

05 Mike read a newspaper this morning.

→ _____ Mike _____ the newspaper this morning?

06 Your friends helped you.

→ _____ your friends _____ you?

07 The girl sang K-pop songs.

→ _____ the girl _____ K-pop songs?

08 The children walked to the station.

→ _____ the children _____ to the station?

09 He lived with his grandparents.

→ _____ he _____ with his grandparents?

10 They knew the answer.

→ _____ they _____ the answer?

11 Tom came back home.

→ _____ Tom _____ back home?

12 She finished her work.

→ _____ she _____ her work?

WORDS

learn 배우다　**bought** 사다(buy)의 과거형　**wrote** 쓰다(write)의 과거형　**newspaper** 신문　**help** 돕다
children 아이들　**station** 역　**grandparents** 조부모　**answer** 답　**finish** 끝내다, 마치다

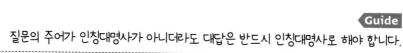

Practice 3

Guide
질문의 주어가 인칭대명사가 아니더라도 대답은 반드시 인칭대명사로 해야 합니다.

1 다음 대화의 빈칸에 알맞은 말을 쓰세요.

01　A: Did you write the novel last year?

　　 B: Yes, _____ I _____ did _____ .

02　A: Did they go swimming yesterday?

　　 B: No, _____ _____ .

03　A: Did your sister finish her homework?

　　 B: Yes, _____ _____ .

04　A: Did your friends like the pizza?

　　 B: Yes, _____ _____ .

05　A: Did your brother have a computer?

　　 B: No, _____ _____ .

2 다음 문장에서 밑줄 친 부분을 바르게 고치세요.

01　Did she <u>heard</u> the news yesterday?
　　그녀는 어제 그 뉴스를 들었니?　　　　　　　　　→ _____ hear _____

02　He didn't <u>comes</u> back home.
　　그는 집에 돌아오지 않았다.　　　　　　　　　　→ _____

03　<u>Do</u> you sleep on the sofa last night?
　　너는 어젯밤 소파에서 잤니?　　　　　　　　　　→ _____

04　Did your friends <u>watched</u> the game last week? → _____
　　네 친구들은 지난주 그 경기를 봤니?

05　We <u>don't</u> eat dinner yesterday.
　　우리는 어제 저녁식사를 하지 않았다.　　　　　　→ _____

WORDS

novel 소설　**yesterday** 어제　**finish** 마치다　**homework** 숙제　**news** 뉴스
come back 돌아오다　**sleep** 자다　**watch** 보다　**week** 주, 일주일　**dinner** 저녁식사

① 명령문

명령문이란 상대방에게 '~해라', '~하지 마라'라고 어떤 행동을 명령하거나 지시하는 문장입니다.
명령문은 주어(You) 없이 바로 동사원형으로 시작합니다.

② 긍정명령문

긍정명령문은 상대방(You 너 또는 너희들)에게 '~해라'라고 명령하는 문장입니다.

You close the door.

→ **Close** the door. 문을 닫아라.

You are quiet.

→ **Be** quiet. 조용히 해라.

> **Tips**
> • are의 동사원형은 be입니다. 반드시 명령문에는 동사원형이 쓰여야 합니다.
> • be동사를 이용한 명령문에서 be동사의 동사원형 다음에 형용사가 옵니다.
> **Be** careful. 조심해.
> **Be** happy. 행복해라.
> Don't **be** shy. 부끄러워하지 마라.

③ 부정명령문

부정명령문은 상대방(You 너 또는 너희들)에게 '~하지 마라'라고 명령하는 문장으로 긍정명령문 앞에
Don't가 옵니다.

You don't close the window.

→ **Don't close** the window. 창문을 닫지 마라.

You are not late.

→ **Don't be** late. 늦지 마라.

> **Tips**
> • Don't 대신 Do not을 사용할 수 있습니다. 예) Do not waste water. 물을 낭비하지 마라.
> • 명령문은 You를 생략한 문장이므로 Doesn't나 Does not은 사용할 수 없습니다.
> • 좀 더 공손하게 표현하기 위해 문장 맨 앞이나 뒤에 please를 붙여 사용할 수 있습니다.
> Stand up, **please**. 일어나세요.
> **Please** don't be late. 늦지 마세요.

Practice 1

명령문은 주어(You) 없이 바로 동사원형으로 시작합니다.

1 다음 괄호 안에서 알맞은 것에 동그라미 하세요.

01 (Are / (Be)) quiet, please.
조용히 하세요.

02 (Give / Gives) me some water.
나에게 물 좀 줘라.

03 (Be / Do) kind to your friends.
네 친구들에게 친절해라.

04 (Be / Do) careful.
조심해라.

05 (Be / Stay) home tonight.
오늘 밤 집에 있어라.

06 Please (close / closes) the window.
창문을 닫아 주세요.

07 (Don't / Don't be) drink coffee.
커피를 마시지 마라.

08 (Sit / Sits) down, please.
앉아 주세요.

09 (Send / Sending) me an email.
나에게 이메일을 보내라.

10 (Don't go / Go not) out now.
지금 외출하지 마라.

11 (Don't / Doesn't) be afraid of the dog.
그 개를 두려워하지 마라.

12 (Doesn't / Do not) say goodbye to me.
나에게 안녕이라고 말하지 마라.

WORDS

quite 조용한   water 물   kind 친절한   careful 조심하는   tonight 오늘 밤   window 창문
coffee 커피   sit down 앉다   send 보내다   afraid 두려워하는   goodbye 안녕

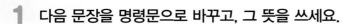

1 다음 문장을 명령문으로 바꾸고, 그 뜻을 쓰세요.

01 You don't watch TV. (부정명령문)

→ _____ Don't[Do not] watch TV. TV를 보지 마라.

02 You don't lie to me. (부정명령문)

→ _____

03 You wash the dishes. (긍정명령문)

→ _____

04 You go to bed at ten. (긍정명령문)

→ _____

05 You don't come here. (부정명령문)

→ _____

06 You take care of your brother. (긍정명령문)

→ _____

07 You don't waste money. (부정명령문)

→ _____

08 You are honest. (긍정명령문)

→ _____

09 You are not late for school. (부정명령문)

→ _____

10 You are not lazy. (부정명령문)

→ _____

11 You take a shower every day. (긍정명령문)

→ _____

12 You clean your room. (긍정명령문)

→ _____

WORDS

lie 거짓말하다 **wash the dishes** 설거지하다 **go to bed** 자러 가다 **take care of** ~을 돌보다
waste 낭비하다 **honest** 정직한 **late** 늦은 **lazy** 게으른 **take a shower** 샤워하다 **clean** 청소하다

Guide

be동사를 이용한 명령문에서 be동사의 동사원형 다음에 형용사가 옵니다.

1 다음 우리말과 일치하도록 주어진 단어를 알맞게 배열하세요. (필요하면 단어를 추가하세요.)

01 상자를 열지 마라. (the box / open)
→ <u>Don't open the box.</u>

02 바닥에 앉아 주세요. (sit down / on the floor / please)
→ _____

03 슬퍼하지 마라. (don't / sad)
→ _____

04 이 우산을 가지고 가라. (this umbrella / take)
→ _____

05 컴퓨터를 켜주세요. (turn on / the computer / please)
→ _____

06 따뜻한 옷을 입어라. (warm clothes / wear)
→ _____

07 이 우유를 마시지 마라. (this milk / drink)
→ _____

08 식사 전에 손을 씻어라. (your hands / wash / before meals)
→ _____

09 도서관에서는 조용히 해라. (quiet / in the library)
→ _____

10 시끄럽게 하지 마세요. (make / any noise / please)
→ _____

11 내 컴퓨터를 사용하지 마라. (my / use / computer)
→ _____

12 다시는 늦지 마라. (don't / again / late)
→ _____

WORDS

open 열다   floor 바닥   sad 슬픈   umbrella 우산   turn on ~을 켜다   warm 따뜻한
clothes 옷   wear 입다   drink 마시다   meal 식사   library 도서관   noise 소음   again 다시

공부한 날 :   부모님 확인 :

01> 다음 중 빈칸에 들어갈 수 <u>없는</u> 것을 고르세요.

> I was busy _____.

① yesterday   ② last night
③ last weekend   ④ now
⑤ today

【02~03】 다음 중 대화의 빈칸에 알맞은 것을 고르세요.

02>
A: Was she a famous singer?
B: No, _____.

① she is   ② she isn't
③ she weren't   ④ she was
⑤ she wasn't

03>
A: Were the pencils on the desk?
B: Yes, _____.

① it is   ② it was
③ it weren't   ④ they are
⑤ they were

【04~05】 다음 중 동사의 과거형이 <u>잘못</u> 연결된 것을 고르세요.

04> ① walk - walked
② live - lived
③ study - studied
④ play - played
⑤ call - called

05> ① say - said
② eat - eated
③ work - worked
④ come - came
⑤ know - knew

【06~08】 다음 그림을 보고 주어진 단어를 이용하여 빈칸에 알맞은 말을 쓰세요.

06>   go

→ They _____ to school yesterday.

07>   watch

→ I _____ TV last night.

08>   eat

→ Donovan _____ pizza last Sunday.

09> 다음 중 빈칸에 들어갈 수 <u>없는</u> 것을 고르세요.

> Mike _____ cookies yesterday.

① ate   ② had
③ bought   ④ made
⑤ wants

10> 다음 중 빈칸에 알맞은 것을 고르세요.

> Alice _____ play the piano yesterday.

① do   ② does
③ don't   ④ doesn't
⑤ didn't

【11~12】 다음 중 대화의 빈칸에 알맞은 것을 고르세요.

11> A: Did your sister wash the dishes?
B: Yes, _____ _____ .

① she is   ② she do
③ she did   ④ she does
⑤ she was

12> A: Did your friends play soccer?
B: No, _____ _____ .

① they don't   ② he didn't
③ it didn't   ④ we didn't
⑤ they didn't

13> 다음 중 <u>어색한</u> 문장을 고르세요.

① She was at home now.
② They learned English last year.
③ She played computer games.
④ He went to school by bus.
⑤ My sister washed the dishes.

【14~15】 다음 그림을 보고 주어진 단어를 이용하여 빈칸에 알맞은 말을 쓰세요.

14> cry

→ _____ the baby _____ last night?

15> read

→ _____ you _____ a book yesterday?

16> 다음 중 우리말을 영어로 바르게 쓴 것을 고르세요.

> 그들은 어제 점심식사를 하지 않았다.

① They don't eat lunch yesterday.
② They didn't eats lunch yesterday.
③ They didn't eat lunch yesterday.
④ They didn't ate lunch yesterday.
⑤ They don't ate lunch yesterday.

17> I cut the tree last Sunday.

→ I _____ .

18> My brother played computer games.

→ My brother _____

_____ .

19> _____ kind to your friends.

① Be   ② Do
③ Did   ④ Does
⑤ Are

20> _____ close the window.

① Be   ② Do
③ Please   ④ Does
⑤ Don't

21>

학교에 지각하지 마라.

→ _____ late for school.

22>

컴퓨터 게임을 하지 마라.

→ _____ computer games.

23> 다음 중 <u>어색한</u> 문장을 고르세요.

① Don't do lazy.
② Open the door.
③ Clean your room.
④ Go to bed at ten.
⑤ Wash the dishes, please.

24> 다음 단어들을 순서에 맞게 배열하세요.

> didn't / my sister / clean / the room

→ _____

【25~26】 다음 문장을 과거형 의문문과 부정문으로 바꿔 써 보세요.

25> He went to the bookstore.

의문문 _____

부정문 _____

26> Cathy bought a lamp.

의문문 _____

부정문 _____

27> 다음 대화의 빈칸에 알맞은 말을 쓰세요.

A: _____ Kevin wash the dishes yesterday?

B: No, _____.

A: _____

B: _____

28> 다음 빈칸에 공통으로 들어갈 말을 쓰세요.

- We _____ shopping yesterday.
  우리는 어제 쇼핑하러 갔다.
- They _____ to the park last Monday.
  그들은 지난 월요일 공원에 갔다.

→ _____

29> 다음 우리말과 일치하도록 보기의 단어를 이용하여 문장을 완성하세요.

> live   come   send

(1) Jane _____ in Busan for two years.
제인은 2년 동안 부산에 살았다.

(2) I _____ him an email.
나는 그에게 이메일을 보냈다.

(3) He _____ back home yesterday.
그는 어제 집에 돌아왔다.

30> 다음 단어의 과거형을 쓰세요.

(1) make → _____

(2) cry   → _____

(3) sing → _____

(4) have → _____

Chapter 13 시간 전치사

 시간 전치사 at / on / in

전치사는 '앞에 놓인 말'이라는 뜻으로 시간 전치사는 시간을 나타내는 명사의 앞에
위치하는 말로, at, in, on 등이 있으며, '~에'의 뜻을 가지고 있습니다.

at 정확한 시각이나 특정 시점	시각 정오(낮12시) 밤	I get up **at** 7 o'clock. 나는 7시에 일어난다. He eats lunch **at** noon. 그는 12시에 점심식사를 한다. He works **at** night. 그는 밤에 일한다.
on 날짜, 요일, 특정한 날이나 수식어가 붙을 때	요일 날짜 특별한 하루	I go swimming **on** Monday. 나는 월요일에 수영하러 간다. I was born **on** September 1st. 나는 9월 1일에 태어났다. Do you usually have a party **on** your birthday? 너는 보통 네 생일에 파티를 하니? I have classes **on** Monday mornings. 나는 월요일 아침에 수업이 있다.
in 연도, 월, 계절 같은 기간	월 계절 연도	I visit my uncle **in** June. 나는 6월에 내 삼촌을 방문한다. Flowers bloom **in** spring. 꽃은 봄에 핀다. She visited Seoul **in** 2019. 그녀는 2019년에 서울을 방문했다.

 시간 전치사 for / during

시간 전치사 for, during은 '~ 동안'이란 의미로 기간을 나타낼 때 사용합니다.

for 기간의 길이를 나타내어 숫자 앞에	We stayed at the hotel **for** three days. 우리는 3일 동안 그 호텔에 머물렀다. I lived in Korea **for** five years. 나는 5년 동안 한국에 살았다.
during 특정 기간 앞에	We stayed at the hotel **during** the vacation. 우리는 방학 동안 그 호텔에 머물렀다. Sam learned Chinese **during** the winter vacation. 샘은 겨울방학 동안 중국어를 배웠다.

> **Tips** 하루 중 시간은 다음과 같이 나타냅니다.
> **in the morning - at noon - in the afternoon - in the evening - at night - at midnight**
> 아침에   정오에   오후에   저녁에   밤에   자정에

Practice 1

Guide

시간 전치사는 시간을 나타내는 명사의 앞에 위치합니다.

1 다음 괄호 안에서 알맞은 것을 고르세요.

01 I get up (**at** / on / in) 7 o'clock.
나는 7시에 일어난다.

02 We have dinner (at / on / in) 7:30 p.m.
우리는 오후 7시 30에 저녁식사를 한다.

03 We go skiing (at / on / in) winter.
우리는 겨울에 스키 타러 간다.

04 I have five classes (at / on / in) Tuesday.
나는 화요일에 5개의 수업이 있다.

05 We go fishing (at / during / for) the summer vacation.
우리는 여름방학 동안에 낚시를 간다.

06 She takes a walk (at / on / in) the morning.
그녀는 아침에 산책을 한다.

07 We're going to have a party (at / on / in) your birthday.
우리는 네 생일에 파티를 할 것이다.

08 Tom goes to bed (at / on / in) 10:30 p.m.
톰은 오후 10시 30분에 잠을 잔다.

09 My father watches TV (at / on / in) night.
나의 아버지는 밤에 TV를 보신다.

10 I visited London (at / on / in) 2014.
나는 2014년에 런던을 방문했다.

11 They study English (at / on / in) the afternoon.
그들은 오후에 영어를 공부한다.

12 I'll stay there (at / on / for) five days.
나는 그곳에 5일간 머물 예정이다.

WORDS

get up 일어나다   **dinner** 저녁식사   **ski** 스키 타다   **winter** 겨울   **vacation** 방학   **morning** 아침
party 파티   **birthday** 생일   **night** 밤   **visit** 방문하다   **afternoon** 오후   **stay** 머무르다

Practice 2

Guide
at, in, on은 '~에'라는 뜻을 가지고 있습니다.

1 다음 괄호 안에서 알맞은 것을 고르세요.

01 I am going to take a vacation (at / on / (in)) June.
나는 6월에 휴가를 갈 것이다.

02 She was born (at / on / in) May 3rd.
그녀는 5월 3일에 태어났다.

03 The game is going to start (at / on / in) 2 o'clock.
그 게임은 2시에 시작할 것이다.

04 We play baseball (at / on / in) the afternoon.
우리는 오후에 야구를 한다.

05 We go shopping (at / on / in) Sunday.
우리는 일요일에 쇼핑을 하러 간다.

06 Let's go out for dinner (at / on / in) your birthday.
너의 생일에 저녁 외식을 하자.

07 We go hiking (at / on / in) summer.
우리는 여름에 하이킹을 간다.

08 I played computer games (for / on / during) two hours.
나는 2시간 동안 컴퓨터 게임을 했다.

09 Spring comes (at / on / in) March.
봄은 3월에 온다.

10 I go to the library (at / on / in) Saturday.
나는 토요일에 도서관에 간다.

11 My brother went to Paris (at / on / in) 2018.
나의 형은 2018년에 파리에 갔다.

12 He has a piano lesson (at / on / in) Wednesday.
그는 수요일에 피아노 수업이 있다.

WORDS

June 6월   May 5월   game 게임   start 시작하다   o'clock 시   baseball 야구   Sunday 일요일
go out 외출하다   hiking 하이킹, 도보여행   summer 여름   spring 봄   Saturday 토요일   lesson 수업

Practice 3

Guide
for, during은 '~동안'이란 의미로 기간을 나타낼 때 사용합니다.

1 다음 밑줄 친 부분을 바르게 고치세요.

01 The class starts <u>on</u> 9 o'clock. → _____at_____
그 수업은 9시에 시작한다.

02 They go to church <u>in</u> Christmas day. → _____
그들은 성탄절에 교회에 간다.

03 The store closes at 10 o'clock <u>on</u> the evening. → _____
그 상점은 저녁 10시에 문을 닫는다.

04 Don't chat <u>for</u> class. → _____
수업 중에 수다 떨지 마라.

05 The film festival ends <u>in</u> October 22nd. → _____
그 영화제는 10월 22일 끝난다.

06 They don't drink coffee <u>for</u> night. → _____
그들은 밤에 커피를 마시지 않는다.

07 Cathy has a swimming lesson <u>at</u> Monday. → _____
캐시는 월요일에 수영 수업이 있다.

08 I will go to Canada <u>at</u> the winter vacation. → _____
나는 겨울방학 동안 캐나다에 갈 것이다.

09 I studied English <u>in</u> three hours. → _____
나는 3시간 동안 영어공부를 했다.

10 Tony takes a walk <u>during</u> the afternoon. → _____
토니는 오후에 산책을 한다.

11 We lived in China <u>in</u> five years. → _____
우리는 5년 동안 중국에 살았다.

12 The sun rises early <u>on</u> summer. → _____
여름에는 해가 일찍 뜬다.

WORDS

class 수업　**church** 교회　**store** 상점　**chat** 수다 떨다　**film** 영화　**festival** 축제
vacation 휴가, 방학　**hour** 시간　**afternoon** 오후　**live** 살다　**rise** (해 등) 뜨다　**early** 일찍

본문 강의

1 장소 전치사

장소 전치사란 장소를 나타내는 명사의 앞에 위치하는 말로, at, in 등이 있으며, '~에(서)'의 뜻을 가지고 있습니다.

at 비교적 좁은 장소 구체적 장소 앞 (장소의 한 지점)	**at** home 집에(서)　　　**at** school 학교에(서) **at** the bus stop 버스 정류장에(서) We will stay **at the Sun Hotel** tonight. 우리는 오늘 밤에 선 호텔에서 머물 것이다. My dad is **at** home. 아빠는 집에 계신다.
in 비교적 넓은 장소 도시, 국가, 대륙 등 앞	**in** London 런던에(서)　　　**in** the world 세상에 **in** Korea 한국에(서) There are many big cities **in** Korea. 한국에는 많은 대도시들이 있다. Cindy lived **in** London last year. 신디는 지난해 런던에서 살았다.

2 위치 전치사

위치 전치사란 위치를 나타내는 명사의 앞에 오는 말로, on, in, next to, in front of, behind, under 등이 있으며, '(장소) ~에(서)'의 뜻을 가지고 있습니다.

on	~에(서) ~ 위에(서) (접촉이 있을 때)	**on** the floor 바닥 위에(서)　　　**on** the wall 벽에(서) There is a fork **on** the table. 식탁 위에 포크가 있다.
in	~ 안에(내부의)	**in** the room 방 안에　　　**in** the bag 가방 안에 There are apples **in** the basket. 바구니 안에 사과들이 있다.
next to	~ 옆에	**next to** the bakery 제과점 옆에 Sam is **next to** the tree. 샘이 나무 옆에 있다.
in front of	~ 앞에(서)	**in front of** the audience 청중 앞에 **in front of** the door 문 앞에 There is a big tree **in front of** the house. 그 집 앞에 커다란 나무가 있다.
behind	~ 뒤에(서)	**behind** the building 건물 뒤에(서)　　　**behind** the tree 나무 뒤에 The parking lot is **behind** the bank. 주차장은 은행 뒤에 있다.
under	~ 아래에(서)	**under** the table 식탁 아래에　　　**under** the bridge 다리 아래에 There is a bike **under** the tree. 나무 아래에 자전거가 있다.

Practice 1

장소 전치사란 장소를 나타내는 명사의 앞에 위치하는 말입니다.

1 다음 우리말과 일치하도록 괄호 안에서 알맞은 것을 고르세요.

01 There are apples (at / on / (in)) the basket.
바구니 안에 사과들이 있다.

02 The library is (in front of / beside / next to) the museum.
도서관은 박물관 앞에 있다.

03 There are many people (on / in) the gym.
체육관 안에 많은 사람들이 있다.

04 There is a doll (at / on / in) the floor.
바닥 위에 인형 하나가 있다.

05 We live (at / on / in) Paris.
우리는 파리에 산다.

06 There are five books (at / on / in) the bag.
가방 안에 5권의 책이 있다.

07 Let's meet (at / on / in) the bus stop.
버스 정류장에서 만나자.

08 There are two boys (under / behind / next to) the tree.
나무 옆에 두 명의 소년이 있다.

09 There are a lot of animals (at / on / in) the world.
세상에는 많은 동물들이 있다.

10 There is a theater (in front of / next to / behind) the bank.
극장이 그 은행 뒤에 있다.

11 There are two cats (under / in front of / next to) the table.
식탁 아래에 고양이 두 마리가 있다.

12 There is a computer (in / at / on) the room.
방 안에 컴퓨터가 하나 있다.

WORDS

basket 바구니 **library** 도서관 **museum** 박물관 **people** 사람들 **gym** 체육관 **floor** 바닥
meet 만나다 **bus stop** 버스 정류장 **a lot of** 많은 **world** 세상 **theater** 극장 **bank** 은행

장소 전치사는 '~에(서)'의 뜻을 가지고 있습니다.

1 다음 우리말과 일치하도록 빈칸에 알맞은 전치사를 쓰세요.

01 There are three students _____ in _____ the classroom.
교실 안에 3명의 학생이 있다.

02 There is a cat _____ the sofa.
소파 위에 고양이가 있다.

03 There are five pens _____ the pencil case.
필통 안에 5개의 펜이 있다.

04 There is a boat _____ the bridge.
다리 아래에 보트가 있다.

05 There is a bookstore _____ the bank.
은행 옆에 서점이 있다.

06 There are two girls _____ the tree.
나무 뒤에 두 명의 소녀가 있다.

07 There is a boy _____ the door.
문 앞에 한 소년이 있다.

08 There is a sofa _____ the living room.
거실에 소파가 있다.

09 There are a lot of languages _____ the world.
세상에는 많은 언어들이 있다.

10 We will meet _____ the bus stop.
우리는 버스 정류장에서 만날 것이다.

11 She lived _____ Hawaii for five years.
그녀는 5년 동안 하와이에서 살았다.

12 There is a lamp _____ the table.
식탁 옆에 등이 있다.

WORDS

classroom 교실　pencil case 필통　boat 보트, 배　bridge 다리　bookstore 서점

living room 거실　language 언어　world 세상　meet 만나다　live 살다　lamp 등

Practice 3

Guide

위치 전치사란 위치를 나타내는 명사의 앞에 오는 말입니다.

1 다음 그림과 일치하도록 보기의 전치사 중 하나를 골라 빈칸에 쓰세요.

| on
in
under
next to | 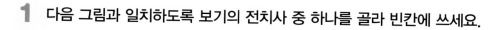 |

01 There is a lamp _____next to_____ the bed.

02 A cat is _____ the table.

03 There is a picture _____ the wall.

04 There are flowers _____ the vase.

05 The vase is _____ the table.

2 다음 우리말과 일치하도록 밑줄 친 부분을 바르게 고치세요.

01 I have three coins <u>on</u> my pocket.
내 주머니 안에 동전 3개가 있다.
→ _____in_____

02 Let's meet <u>next to</u> the bank at noon.
정오에 은행 앞에서 만나자.
→ _____

03 Jane put the book <u>in</u> the desk.
제인은 책상 위에 그 책을 놓았다.
→ _____

04 There is a pool <u>under</u> the house.
그 집 뒤에 수영장이 있다.
→ _____

05 Kevin always sits <u>at</u> me.
케빈은 항상 내 옆에 앉는다.
→ _____

WORDS

lamp 등   picture 그림   wall 벽   vase 꽃병   coin 동전   pocket 주머니   noon 정오
pool 수영장   house 집   always 언제나   sit 앉다

Chapter 15 의문사와 의문문 I

① 의문사

의문사는 의문문 맨 앞에 와서 '누가? 무엇을? 언제? 어디서? 어떻게? 왜?'
등에 대한 구체적인 정보를 얻기 위해 질문할 때 사용합니다.

Who	사람	누구, 누가 (사람에 대한 구체적인 정보를 답합니다.)	**Who** is the girl? 그 소녀는 누구니? She is my sister. 그녀는 내 언니야.
What	사물	무엇, 무엇이, 무엇을 (구체적으로 답합니다.)	**What** is your name? 너의 이름이 무엇이니? My name is Smith. 나의 이름은 스미스야.
When	시간	언제 (구체적인 시각이나 날짜, 요일 등으로 답합니다.)	**When** is your birthday? 너의 생일은 언제니? It's October 7th. 10월 7일이야.
Where	장소	어디에(서), 어디로 (대답에 장소가 와야 합니다.)	**Where** is your book? 너의 책은 어디에 있니? It's on the table. 식탁 위에 있어.
Why	이유	왜 (대답에 이유를 말해야 합니다.)	**Why** were you late? 너는 왜 지각했니? I got up late. 나는 늦잠을 잤어.
How	방법, 상태	어떻게, (상태가) 어떤	**How** is your mom? 너의 엄마 건강은 어떠시니? She's good. 건강하세요.

Tips 의문사로 질문하면 Yes나 No로 대답할 수 없습니다.
A: **What** is your name?
B: Yes, I am. (x) My name is James. (O)

② be동사의 의문사 의문문

be동사가 있는 의문사 의문문을 만들 때에는 [의문사+be동사+주어 ~?]의 순서가 되어야 하며, 이때 의문사의 첫 알파벳은 대문자로 써야 합니다.

의문사	+	am are is	+	주어	+	~?

What are these? 이것들은 무엇이니?
How is the weather? 날씨는 어떠니?

Tips this나 that으로 물으면 it으로 대답하고, these나 those로 물으면 they로 답합니다.
A: What are **these**? 이것들은 무엇이니?
B: **They** are pumpkins. 그것들은 호박이야.

의문사는 의문문 맨 앞에 와서 구체적인 정보를 얻기 위해 사용합니다.

1 다음 우리말과 일치하도록 빈칸에 알맞은 의문사를 쓰세요.

01 _____How_____ are you?
안녕하세요?

02 _____ is your hobby?
너의 취미는 무엇이니?

03 _____ is the museum?
박물관은 어디에 있니?

04 _____ is your teacher?
너의 선생님은 누구시니?

05 _____ is that girl?
저 소녀는 누구니?

06 _____ is your birthday?
너의 생일은 언제니?

07 _____ is she angry?
그녀는 왜 화났니?

08 _____ is this?
이것은 무엇이니?

09 _____ is the weather today?
오늘 날씨가 어떠니?

10 _____ is your name?
너의 이름이 뭐니?

11 _____ are you late?
너는 왜 늦었니?

12 _____ is your office?
너의 사무실은 어디에 있니?

WORDS

hobby 취미   museum 박물관   teacher 선생님   girl 소녀   birthday 생일   angry 화난
weather 날씨   today 오늘   late 늦은   office 사무실

1 다음 영어를 우리말로 쓰세요.

01 What is this?
→ _____이것은 무엇이니?_____

02 When is the next bus?
→ _____

03 Why are you busy?
→ _____

04 Who are those girls?
→ _____

05 How are your parents?
→ _____

06 Where is your cellphone?
→ _____

07 Why are you angry with me?
→ _____

08 What is that?
→ _____

09 Who is your teacher?
→ _____

10 Where is the bookstore?
→ _____

11 When is the interview?
→ _____

12 Where is your house?
→ _____

WORDS

next 다음의 **bus** 버스 **busy** 바쁜 **parents** 부모 **cellphone** 휴대전화 **angry** 화난
bookstore 서점 **interview** 인터뷰 **house** 집

Practice 3

Guide

be동사 의문문은 [의문사+be동사+주어 ~?]의 순서입니다.

1 다음 대화의 빈칸에 알맞은 의문사를 쓰세요.

01 A: _____Who_____ is that girl?
B: She is my friend, Alice.

02 A: _____ is Christmas Day?
B: It is on December 25th.

03 A: _____ are these?
B: They are strawberries.

04 A: _____ is your cap?
B: My cap is on the desk.

05 A: _____ is the weather?
B: It is rainy.

06 A: _____ is your favorite fruit?
B: I like apples.

07 A: _____ were you late?
B: I got up late.

08 A: _____ are they?
B: They are my classmates.

09 A: _____ is the interview?
B: The interview is next Monday.

10 A: _____ is this?
B: It's my computer.

11 A: _____ are you today?
B: I feel good.

12 A: _____ is your mom?
B: The woman playing the piano is my mom.

WORDS

December 12월   strawberry 딸기   weather 날씨   favorite 좋아하는   fruit 과일
interview 인터뷰   today 오늘   play the piano 피아노를 치다

Chapter 16 의문사와 의문문 Ⅱ

본문 강의

① 일반동사가 있는 의문사 의문문

일반동사가 있는 의문사 의문문을 만들 때에는 [의문사+do/does+주어+동사원형 ~?]의 순서가 되어야 합니다. 주어가 3인칭 단수이면 does를 써야 합니다.

| 의문사 | + | do
does | + | 주어 | + | 동사원형 ~? |

What do you learn at school?
너는 학교에서 무엇을 배우니?

When does she come back home?
그녀는 언제 집에 돌아오니?

Why do they go to the museum every Sunday?
그들은 왜 매주 일요일에 박물관에 가니?

② can이 있는 의문사 의문문

can이 있는 의문사 의문문을 만들 때에는 [의문사+can+주어+동사원형 ~?]의 순서가 되어야 하며, 이때 의문사의 첫 알파벳은 대문자로 써야 합니다.

| 의문사 | + | can | + | 주어 | + | 동사원형 ~? |

What can I do for you? 무엇을 도와 드릴까요?
When can I see you again? 너를 언제 다시 볼 수 있니?
How can I help you? 내가 어떻게 도와주면 되겠니?

③ be going to가 있는 의문사 의문문

be going to가 있는 의문사 의문문을 만들 때에는 [의문사+be동사+주어+going to+동사원형 ~?]의 순서가 되어야 합니다.

| 의문사 | + | is
are | + | 주어 | + | going to | + | 동사원형 ~? |

What are you **going to** do tomorrow? 너는 내일 무엇을 할 거니?
When is he **going to** cut the grass? 그는 언제 잔디를 깎을 거니?
Where are you **going to** stay? 너는 어디에 머물 거니?

일반동사 의문문은 [의문사+do/does+주어+동사원형 ~?] 순서입니다.

1 다음 우리말과 일치하도록 빈칸에 알맞은 말을 쓰세요.

01 _____What_____ do you eat for lunch?
너는 점심으로 무엇을 먹니?

02 _____ does he do?
그는 직업이 뭐니?

03 _____ are you going to do today?
너는 오늘 무엇을 할 거니?

04 When _____ they eat lunch?
그들은 언제 점심식사를 하니?

05 When _____ you going to come back?
너는 언제 돌아올 거니?

06 _____ do you learn Korean?
너는 왜 한국어를 배우니?

07 _____ are you going to meet tomorrow?
너는 내일 누구를 만날 거니?

08 Where _____ I buy it?
내가 어디서 그것을 살 수 있니?

09 _____ can you visit the museum?
너는 박물관을 언제 방문할 수 있니?

10 _____ does she go to school?
그녀는 학교에 어떻게 가니?

11 When _____ he get up?
그는 언제 일어나니?

12 _____ do they go to the beach?
그들은 왜 해변에 가니?

WORDS

lunch 점심(식사) today 오늘 come back 돌아오다 learn 배우다 Korean 한국어 meet 만나다
tomorrow 내일 visit 방문하다 museum 박물관 get up 일어나 beach 해변

can이 있는 의문문은 [의문사+can+주어+동사원형 ~?]의 순서입니다.

1 다음 우리말과 일치하도록 주어진 단어를 배열하세요.

01 너는 아침에 무엇을 마시니? (what / you / do / drink)
→ _____What do you drink_____ in the morning?

02 너의 주머니에 무엇이 있니? (have / do / what / you)
→ _____ in your pockets?

03 그들은 왜 공원에 가니? (go / do / they / why)
→ _____ to the park?

04 너는 내일 어디서 머물 예정이니? (are / going to / where / you / stay)
→ _____ tomorrow?

05 그녀는 아침에 무엇을 하니? (does / do / she / what)
→ _____ in the morning?

06 너는 누구를 가장 좋아하니? (do / who / like / you)
→ _____ most?

07 그는 공항에 어떻게 가니? (he / how / get / does)
→ _____ to the airport?

08 내가 너를 언제 다시 만날 수 있니? (see / can / when / I / you)
→ _____ again?

09 너는 저녁식사로 무엇을 먹을 거니? (are / what / you / eat / going to)
→ _____ for dinner?

10 그는 어디서 사니? (he / live / where / does)
→ _____ ?

11 내가 그 문제를 어떻게 해결할 수 있니? (can / how / solve / I)
→ _____ the problem?

12 그들은 언제 한국을 방문할 거니? (visit / are / they / when / going to)
→ _____ Korea?

WORDS

drink 마시다　**pocket** 주머니　**park** 공원　**stay** 머무르다　**most** 가장　**airport** 공항　**again** 다시
live 살다　**solve** 해결하다　**problem** 문제　**visit** 방문하다

Guide

be going to 의문문은 [의문사+be동사+주어+going to+동사원형 ~?]입니다.

1 다음 대화의 빈칸에 알맞은 의문사를 쓰세요.

01 A: _____What_____ is she going to eat for lunch?
   B: She is going to eat noodles.

02 A: _____ does he go to bed?
   B: At 11 p.m.

03 A: _____ do they do after school?
   B: They usually play baseball.

04 A: _____ do you live?
   B: I live in Seoul.

05 A: _____ are you going to meet today?
   B: I'm going to meet Cathy.

06 A: _____ does Alice go to school?
   B: She goes to school by bus.

07 A: _____ do they want to see the movie again?
   B: The movie is very interesting.

08 A: _____ do you have in your pockets?
   B: I have some coins.

09 A: _____ can you visit Korea?
   B: I can visit Korea next month.

10 A: _____ are they going to stay tonight?
   B: They are going to stay at a hotel.

11 A: _____ does he go to the park?
   B: He goes to the park to walk his dog.

12 A: _____ do you like most?
   B: I like James.

WORDS

noodle 국수   usually 보통   meet 만나다   by bus 버스로   movie 영화   again 다시
pocket 주머니   coin 동전   tonight 오늘 밤   stay 머무르다   park 공원   walk 산책시키다

공부한 날 :   부모님 확인 :

【01~02】 다음 중 빈칸에 공통으로 들어갈 것을 고르세요.

01>
- I go swimming _____ Monday.
- I was born _____ September 10th.

① in   ② on
③ to   ④ at
⑤ the

02>
- I get up _____ seven o'clock.
- He eats lunch _____ noon.

① in   ② on
③ to   ④ at
⑤ for

03> 다음 중 빈칸에 알맞은 것을 고르세요.

We stayed at the hotel _____ three days.

① during   ② on
③ to   ④ at
⑤ for

04> 다음 중 밑줄 친 부분이 어색한 것을 고르세요.

① I take a walk in the morning.
② He works at night.
③ He learned Chinese during vacation.
④ They go to bed at ten.
⑤ She visited Seoul on 2019.

【05~07】 다음 그림을 보고 빈칸에 알맞은 전치사를 쓰세요.

05>

→ There is an apple _____ the book.

06>

→ There is a ball _____ the box.

07>

→ My dog is _____ the table.

08> 다음 중 빈칸에 알맞은 것을 고르세요.

His uncle lived _____ London last year.

① in   ② on
③ to   ④ at
⑤ for

09> 다음 중 우리말을 영어로 바르게 쓴 것을 고르세요.

> 그 건물 앞에 제과점이 있다.

① There is a bakery behind the building.
② There is a bakery next to the building.
③ There is a bakery during the building.
④ There is a bakery under the building.
⑤ There is a bakery in front of the building.

【10~11】 다음 중 빈칸에 공통으로 들어갈 것을 고르세요.

10>
> • We learn English _____ school.
> • My daughter is _____ home now.

① in   ② on
③ to   ④ at
⑤ for

11>
> • There are many big cities _____ Korea.
> • We go hiking _____ summer.

① in   ② on
③ to   ④ at
⑤ during

12> 다음 중 밑줄 친 부분이 어색한 것을 고르세요.

① The game starts at 11 o'clock.
② We live at Paris.
③ There is a computer on the table.
④ There is a bookstore next to the bank.
⑤ There are roses in the vase.
⑤ The cat is on the sofa.

【13~15】 다음 중 우리말과 일치하도록 빈칸에 알맞은 것을 고르세요.

13>
> _____ is your favorite subject?
> 네가 좋아하는 과목이 무엇이니?

① What   ② When
③ Where   ④ Why
⑤ Who

14>
> _____ is your birthday?
> 너의 생일은 언제니?

① What   ② When
③ Where   ④ Why
⑤ Who

15>
> _____ are those boys?
> 저 소년들은 누구니?

① What   ② When
③ Where   ④ Why
⑤ Who

16> 다음 중 우리말을 영어로 바르게 쓴 것을 고르세요.

너의 가방은 어디에 있니?

① What is your bag?
② How is your bag?
③ When is your bag?
④ Where is your bag?
⑤ Who is your bag?

【17~19】 다음 대화의 빈칸에 알맞은 말을 쓰세요.

17>

A: _____ is the meeting?
B: The meeting is next Tuesday.

→ _____

18>

A: _____ is your cap?
B: My cap is on the desk.

→ _____

19>

A: _____ is the weather?
B: It is rainy.

→ _____

【20~22】 다음 중 대화의 빈칸에 알맞은 것을 고르세요.

20>

A: _____ does he live?
B: He lives in Busan.

① What   ② When
③ Where   ④ Why
⑤ Who

21>

A: _____ are you going to meet today?
B: I'm going to meet Alice.

① What   ② hen
③ Where   ④ Why
⑤ Who

22>

A: _____ are you going to do tomorrow?
B: I'm going to play soccer.

① What   ② When
③ Where   ④ Why
⑤ Who

23> 다음 중 우리말을 영어로 바르게 쓴 것을 고르세요.

언제 점심 먹을 거니?

① When are you going to eat lunch?
② What are you going to eat for lunch?
③ Where are you going to eat lunch?
④ Who are you going to eat lunch with?
⑤ Why are you going to eat lunch?

24〉 다음 빈칸에 알맞은 전치사를 쓰세요.

> Sam lived _____ Seoul
> _____ five years.

→ _____

【25~26】 다음 중 답변에 알맞은 질문을 고르세요.

25〉

> She goes to school by bus.

① How does she go to school?
② When does she go to school?
③ Where is her school?
④ What is her favorite subject?
⑤ What does she do?

26〉

> He gets home at 7 o'clock.

① How does he get home?
② When does he get home?
③ Where is his office?
④ Where does he live?
⑤ Who is he going to meet?

【27~29】 다음 빈칸에 알맞은 말을 쓰세요.

27〉

> A: _____ are you going to eat
> for dinner?
> B: I am _____ to eat pizza.

A: _____ B: _____

28〉

> A: _____ are you going to
> meet?
> B: I am _____ to meet my
> grandmother.

A: _____ B: _____

29〉

> A: _____ is your cat?
> B: It is _____ the sofa.

A: _____ B: _____

30〉 다음 밑줄 친 부분을 바르게 고치세요.

> Where are you going to stay <u>for</u>
> the summer vacation?

→ _____

memo

memo

memo

GRAMMAR HOUSE
초등영문법

2

WORKBOOK
& ANSWERS

Pearson

Longman
GRAMMAR
HOUSE
초등영문법

WORKBOOK

2

PEARSON

💧 다음 단어를 3번씩 더 쓰세요.

	단어	뜻	쓰기
01	bread	빵	bread
02	buy	사다	buy
03	cheese	치즈	cheese
04	cousin	사촌	cousin
05	history	역사	history
06	ice	얼음	ice
07	learn	배우다	learn
08	leg	다리	leg
09	live	살다	live
10	math	수학	math
11	money	돈	money
12	music	음악	music
13	need	필요하다	need
14	nurse	간호사	nurse
15	onion	양파	onion
16	orange	오렌지	orange
17	potato	감자	potato
18	rice	밥, 쌀	rice
19	salt	소금	salt
20	science	과학	science

1 다음 우리말 뜻에 해당하는 영어 단어를 쓰세요.

01 음악 → _____

02 소금 → _____

03 살다 → _____

04 수학 → _____

05 치즈 → _____

06 사다 → _____

07 밥, 쌀 → _____

08 돈 → _____

09 간호사 → _____

10 역사 → _____

11 양파 → _____

12 배우다 → _____

2 다음 우리말과 일치하도록 보기에서 알맞은 단어를 골라 쓰세요.

> cousins   money   bread   science   math

01 제인은 학교에서 과학을 가르친다.

→ Jane teaches _____ at school.

02 그들은 매일 빵을 먹는다.

→ They eat _____ every day.

03 그의 사촌들은 방에 있다.

→ His _____ are in the room.

중요문법 요점정리

▶ 영어의 명사는 '셀 수 _____ 명사'와 숫자와 함께 쓸 수 없는 '셀 수 _____ 명사'가 있습니다.

▶ 셀 수 없는 명사

생각이나 느낌처럼 보이지 _____ 것들	love 사랑 happiness 행복		soccer 축구 baseball 야구
_____ 이름, 도시이름, _____ 이름	Jane 제인(사람이름) Korea 한국		water 물 milk 우유
_____	history 역사	몇몇 음식물	_____ 소금

▶ _____ 은 '얼마간의', '다소의', '조금의'라는 의미를 가지고 있습니다.

💧 다음 단어를 3번씩 더 쓰세요.

	단어	뜻	쓰기
01	baseball	야구	baseball
02	breakfast	아침식사	breakfast
03	bright	밝은	bright
04	east	동쪽	east
05	English	영어	English
06	fly	날다	fly
07	garage	차고	garage
08	interesting	흥미로운	interesting
09	magazine	잡지	magazine
10	moon	달	moon
11	people	사람들	people
12	rise	떠오르다	rise
13	sea	바다	sea
14	sky	하늘	sky
15	song	노래	song
16	speak	말하다	speak
17	tennis	테니스	tennis
18	tonight	오늘 밤	tonight
19	window	창문	window
20	world	세상	world

1 다음 우리말 뜻에 해당하는 영어 단어를 쓰세요.

01 하늘 → _____

02 잡지 → _____

03 말하다 → _____

04 바다 → _____

05 흥미로운 → _____

06 동쪽 → _____

07 사람들 → _____

08 떠오르다 → _____

09 차고 → _____

10 노래 → _____

11 테니스 → _____

12 달 → _____

2 다음 우리말과 일치하도록 보기에서 알맞은 단어를 골라 쓰세요.

baseball   world   bright   people   world

01 오늘 밤은 달이 매우 밝다.

→ The moon is very _____ tonight.

02 세상에는 많은 동물들이 있다.

→ There are a lot of animals in the _____.

03 그들은 매주 토요일에 야구를 한다.

→ They play _____ every Saturday.

중요문법 요점정리

▶ 관사에는 부정관사 a/an과 _____ the가 있습니다. 정관사 the는 _____ 것을 말할 때 명사 앞에 붙입니다. 이때 the를 '그 ~'라고 해석합니다.

▶ 정관사의 사용

앞에서 말한 것을 _____ 말할 때	세상에서 _____ 밖에 없는 명사 앞에
서로 _____ 있는 것을 말할 때	play 뒤 _____ 이름 앞에

▶ a/an 또는 the를 앞에 쓰지 않는 경우

_____ 이름 앞에: breakfast	_____ 이름 앞에: soccer	_____ 이름 앞에: English

다음 단어를 3번씩 더 쓰세요.

	단어	뜻	쓰기
01	basket	바구니	basket
02	bowl	그릇	bowl
03	bus stop	버스 정류장	bus stop
04	children	아이들	children
05	classroom	교실	classroom
06	coin	동전	coin
07	farm	농장	farm
08	floor	바닥	floor
09	garage	차고	garage
10	garden	정원	garden
11	living room	거실	living room
12	milk	우유	milk
13	park	공원	park
14	picture	그림	picture
15	plate	접시	plate
16	pocket	주머니	pocket
17	potato	감자	potato
18	room	방	room
19	rose	장미	rose
20	wall	벽	wall

1 다음 우리말 뜻에 해당하는 영어 단어를 쓰세요.

01 농장 → _____   02 바닥 → _____

03 동전 → _____   04 접시 → _____

05 주머니 → _____   06 차고 → _____

07 그릇 → _____   08 장미 → _____

09 아이들 → _____   10 공원 → _____

11 감자 → _____   12 벽 → _____

2 다음 우리말과 일치하도록 보기에서 알맞은 단어를 골라 쓰세요.

> basket   garage   picture   garden   milk

01 차고에 차가 한 대 있다.

→ There is a car in the _____.

02 컵에 우유가 조금 있다.

→ There is some _____ in the cup.

03 바구니에 감자가 5개 있다.

→ There are five potatoes in the _____.

중요문법 요점정리

▶ There is / There are는 '〜이 있다'라는 의미로 _____ 는 우리말로 해석하지 않아도 됩니다.

▶ There is 다음에는 _____ 가 오고, There are 다음에는 _____ 가 옵니다.

There _____ +(a/an) 단수명사+장소	There is _____ _____ in the box. 상자 안에 사과가 있다.
There _____ +(some) 복수명사+장소	There are (some) _____ in the box. 상자 안에 사과들이 (조금) 있다.

▶ There is 다음에는 셀 수 _____ 명사가 올 수 있습니다.

There _____ +(some) 셀 수 없는 명사+장소	There is _____ in the bottle. 병에 소금이 있다.

💧 다음 단어를 3번씩 더 쓰세요.

	단어	뜻	쓰기
01	bed	침대	bed
02	bottle	병	bottle
03	cheese	치즈	cheese
04	children	아이들	children
05	classroom	교실	classroom
06	eraser	지우개	eraser
07	floor	바닥	floor
08	fork	포크	fork
09	garden	정원	garden
10	gym	체육관	gym
11	library	도서관	library
12	plate	접시	plate
13	playground	놀이터	playground
14	pool	수영장	pool
15	rose	장미	rose
16	shelf	선반	shelf
17	strawberry	딸기	strawberry
18	street	거리	street
19	town	마을, 도시	town
20	toy	장난감	toy

1 다음 우리말 뜻에 해당하는 영어 단어를 쓰세요.

01 지우개 → _____

02 장난감 → _____

03 교실 → _____

04 체육관 → _____

05 아이들 → _____

06 정원 → _____

07 치즈 → _____

08 마을, 도시 → _____

09 바닥 → _____

10 침대 → _____

11 포크 → _____

12 거리 → _____

2 다음 우리말과 일치하도록 보기에서 알맞은 단어를 골라 쓰세요.

> pool   shelf   bottle   fork   playground

01 선반에 책이 조금 있다.

→ There are some books on the _____.

02 놀이터에 아이들이 있니?

→ Are there any children on the _____?

03 병에 물이 조금도 없다.

→ There isn't any water in the _____.

중요문법 요점정리

▶ '(…에) ~이 없다'라는 의미를 나타내려면 be동사(is, are) 뒤에 _____을 붙입니다.

There isn't[is not]+a(n) _____+장소	There isn't a book on the desk. 책상에 책이 없다.
There aren't[are not]+(any) _____+장소	There aren't any books in the bag. 가방에 책이 하나 없다.
There isn't[is not]+(any) 셀 수 _____ 명사	There isn't any water in the bottle. 병에 물이 조금도 없다.

▶ '(…에) ~가 있니?'라는 의문문을 나타내려면 _____(is, are)를 there의 앞에 쓰고, 문장 끝에 물음표를 붙입니다.

Chapter 05 Vocabulary

다음 단어를 3번씩 더 쓰세요.

	단어	뜻	쓰기
01	brown	갈색의	brown
02	clean	깨끗한	clean
03	coin	동전	coin
04	cook	요리사	cook
05	crayon	크레용	crayon
06	cucumber	오이	cucumber
07	every day	매일	every day
08	need	필요하다	need
09	rabbit	토끼	rabbit
10	restaurant	식당	restaurant
11	river	강	river
12	salt	소금	salt
13	snow	눈	snow
14	strong	강한	strong
15	summer	여름	summer
16	towel	수건	towel
17	turtle	거북	turtle
18	winter	겨울	winter
19	woman	여자	woman
20	yellow	노란	yellow

1 다음 우리말 뜻에 해당하는 영어 단어를 쓰세요.

01 동전 → _____   02 크레용 → _____

03 여름 → _____   04 요리사 → _____

05 깨끗한 → _____   06 강한 → _____

07 강 → _____   08 눈 → _____

09 토끼 → _____   10 거북 → _____

11 갈색의 → _____   12 수건 → _____

2 다음 우리말과 일치하도록 보기에서 알맞은 단어를 골라 쓰세요.

> summer   winter   cucumbers   woman   restaurant

01 나는 많은 오이가 필요하지 않다.

→ I don't need many _____.

02 우리는 겨울에 눈이 많이 내리지 않는다.

→ We don't have much snow in _____.

03 식당에 의자가 많이 있니?

→ Are there many chairs in the _____?

중요문법 요점정리

▶ _____ 란 사람의 기분·성격·외모 또는 사물의 크기·모양·색·수량·특징 등을 나타내는 말입니다. 다음은 _____ 의미의 형용사들입니다.

clean	깨끗한	_____	더러운	tall	키가 큰	_____	키가 작은
_____	뜨거운	cold	추운	_____	오래된	new	새로운

▶ many와 much는 '많은'이란 의미로 [many+_____]와 [much+셀 수 _____ 명사] 형태로 사용합니다. many나 much는 _____(많은)로 바꿔 쓸 수 있습니다.

▶ much는 주로 _____과 의문문에 사용하고 긍정문에서는 a lot of를 많이 사용합니다.

다음 단어를 3번씩 더 쓰세요.

	단어	뜻	쓰기
01	always	언제나	always
02	answer	대답하다	answer
03	bark	짖다	bark
04	brave	용감한	brave
05	dance	춤추다	dance
06	ending	결말	ending
07	fresh	신선한	fresh
08	place	장소	place
09	problem	문제	problem
10	push	누르다	push
11	smile	웃다	smile
12	soldier	군인	soldier
13	solve	풀다	solve
14	speak	말하다	speak
15	story	이야기	story
16	swimmer	수영선수	swimmer
17	today	오늘	today
18	voice	목소리	voice
19	walk	걷다	walk
20	work	일하다	work

1 다음 우리말 뜻에 해당하는 영어 단어를 쓰세요.

01 언제나 → _____
02 짖다 → _____
03 풀다 → _____
04 장소 → _____
05 오늘 → _____
06 군인 → _____
07 신선한 → _____
08 말하다 → _____
09 목소리 → _____
10 문제 → _____
11 걷다 → _____
12 용감한 → _____

2 다음 우리말과 일치하도록 보기에서 알맞은 단어를 골라 쓰세요.

swimmer   answer   solve   ending   story

01 그녀는 나에게 슬픈 이야기를 말해준다.

→ She tells me a sad _____.

02 그 영화는 행복하게 끝난다.

→ The movie has a happy _____.

03 너는 그 질문에 쉽게 답할 수 있다.

→ You can _____ the question easily.

중요문법 요점정리

▶ 부사는 문장에서 _____, 형용사, 다른 _____를 꾸며주어 문장을 풍부하게 합니다.
▶ 부사는 주로 _____에 - _____를 붙인 형태로 '~하게'의 의미를 갖고 있으며 _____ 뒤에 위치합니다.

대부분의 형용사 – 형용사+ly	He sings a song _____. 그는 큰 소리로 노래한다.
y로 끝나는 형용사 y를 _____로 바꾸고 + ly	She smiles _____. 그녀는 행복하게 웃는다.
le로 끝나는 형용사 e를 제거하고 + _____	The wind blows _____. 바람이 부드럽게 분다.

다음 단어를 3번씩 더 쓰세요.

	단어	뜻	쓰기
01	birthday	생일	birthday
02	class	수업	class
03	competition	대회	competition
04	eleven	11	eleven
05	floor	바닥, 층	floor
06	fork	포크	fork
07	get up	일어나다	get up
08	gym	체육관	gym
09	hundred	100, 백	hundred
10	language	언어	language
11	month	달, 월	month
12	office	사무실	office
13	piece	조각	piece
14	season	계절	season
15	September	9월	September
16	son	아들	son
17	visit	방문하다	visit
18	week	일주일	week
19	weight	몸무게	weight
20	year	연도, 해	year

1 다음 우리말 뜻에 해당하는 영어 단어를 쓰세요.

01 연도, 해 → _____   02 체육관 → _____

03 언어 → _____   04 수업 → _____

05 일주일 → _____   06 몸무게 → _____

07 바닥, 층 → _____   08 100, 백 → _____

09 11 → _____   10 달, 월 → _____

11 사무실 → _____   12 아들 → _____

2 다음 우리말과 일치하도록 보기에서 알맞은 단어를 골라 쓰세요.

> September   week   weight   seasons   competition

01 1년에는 사계절이 있다.

→ There are four _____ in a year.

02 그녀는 그 대회에서 1등을 할 것이다.

→ She is going to win first prize in the _____.

03 9월에는 30일이 있다.

→ There are thirty days in the month of _____.

중요문법 요점정리

▶ 기수는 사람이나 사물의 _____를 세거나 나이, 연도, 전화번호, 시각 등을 표현할 때 쓰는 표현으로 1명, 2명, 3명 또는 10kg, 20kg, 30kg 등을 표현할 때 사용합니다.

사물의 수	four cats 고양이 네 마리		at ten o'clock 10시
_____	ten years old 열 살		001-3926-7540

▶ 서수란 사물의 _____를 나타내는 수로 1층, 2층, 3층 또는 첫 번째, 두 번째 등을 표현할 때 사용하며 정관사 _____와 함께 합니다.

순서	• the _____ book 두 번째 책	• _____ third floor 3층

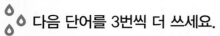 다음 단어를 3번씩 더 쓰세요.

	단어	뜻	쓰기
01	August	8월	August
02	dollar	달러	dollar
03	double	2배의	double
04	fifth	5번째	fifth
05	fourth	4번째	fourth
06	grade	학년	grade
07	hundred	백, 100	hundred
08	January	1월	January
09	July	7월	July
10	March	3월	March
11	May	5월	May
12	ninth	9번째	ninth
13	November	11월	November
14	October	10월	October
15	September	9월	September
16	tenth	10번째	tenth
17	thirty	30	thirty
18	thousand	1000, 천	thousand
19	twenty	20	twenty
20	zero	제로, 0	zero

1 다음 우리말 뜻에 해당하는 영어 단어를 쓰세요.

01 백, 100 → _____ 02 7월 → _____

03 1000, 천 → _____ 04 10월 → _____

05 5월 → _____ 06 달러 → _____

07 11월 → _____ 08 5번째 → _____

09 제로, 0 → _____ 10 9월 → _____

11 3월 → _____ 12 30 → _____

2 다음 우리말과 일치하도록 보기에서 알맞은 단어를 골라 쓰세요.

> double   fourth   hundred   January   ninth

01 4학년 → the _____ grade

02 2020년 1월 21일 → _____ twenty-first, two thousand twenty

03 8032-3255 (전화번호) → eight zero three two, three two _____ five

04 11월 9일 → November (the) _____

05 $926 → nine _____ twenty-six dollars

중요문법 요점정리

▶ 숫자가 천 단위 이상이면, 뒤에서 _____ 자리씩 끊어서 _____ 로 읽습니다.
one, two 등과 함께 hundred나 thousand를 쓸 때 끝에 -_____ 를 붙이지 않습니다.

▶ 전화번호는 _____ 로 표현하며 한 자리씩 읽어나갑니다. 같은 숫자가 연속해서 2개 나오면 [_____ +해당 숫자]로 읽을 수 있습니다.

▶ 모든 연도는 _____ 로 표현하며 뒷자리 연도가 10 이상이면 _____ 자리씩 끊어 읽습니다.

▶ 날짜는 _____ 로 표현하고, 서수 앞에 정관사 _____ 를 생략하기도 합니다.

▶ 돈을 읽을 때는 _____ 로 표현하며, 숫자 뒤에 _____ 단위를 읽습니다.
$85 → eight-five _____

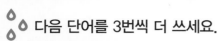

다음 단어를 3번씩 더 쓰세요.

	단어	뜻	쓰기
01	brown	갈색의	brown
02	busy	바쁜	busy
03	clean	깨끗한	clean
04	English	영어	English
05	famous	유명한	famous
06	farmer	농부	farmer
07	hungry	배고픈	hungry
08	late	늦은	late
09	movie	영화	movie
10	pencil	연필	pencil
11	school	학교	school
12	shirt	셔츠	shirt
13	shoe	신발	shoe
14	spoon	숟가락	spoon
15	summer	여름	summer
16	towel	수건	towel
17	winter	겨울	winter
18	with	~와 함께	with
19	woman	여자	woman
20	yellow	노란	yellow

1 다음 우리말 뜻에 해당하는 영어 단어를 쓰세요.

01 셔츠 → _____   02 겨울 → _____

03 영어 → _____   04 유명한 → _____

05 여름 → _____   06 영화 → _____

07 농부 → _____   08 여자 → _____

09 갈색의 → _____   10 ～와 함께 → _____

11 신발 → _____   12 학교 → _____

2 다음 우리말과 일치하도록 보기에서 알맞은 단어를 골라 쓰세요.

| hungry movie busy spoon towel |

01 네 엄마는 어제 바쁘셨니?

→ Was your mom _____ yesterday?

02 식탁에 숟가락이 있다.

→ There is a _____ on the table.

03 우리는 지난밤 배가 고팠다.

→ We were _____ last night.

중요문법 요점정리

▶ 과거형은 과거에 있었던 동작이나 상태를 표현할 때 사용하며, be동사 am/is/are의 과거형은 _____ 와 _____ 로 '～이었다', '～에 있었다' 등의 의미를 가지고 있습니다.

▶ be동사의 과거형 부정문은 was나 were 뒤에 _____ 을 씁니다. be동사의 과거형 부정문 was not은 _____ 로, were not은 _____ 로 줄여 쓸 수 있습니다.

▶ be동사의 과거형 의문문을 만들 때에는 be동사를 _____ 앞으로 이동하고 문장 끝에 물음표를 붙입니다.

▶ be동사 뒤에는 명사, 형용사, [_____+명사(장소)]가 올 수 있습니다.

Chapter 10 Vocabulary

다음 단어를 3번씩 더 쓰세요.

	단어	뜻	쓰기
01	backpack	배낭	backpack
02	birthday	생일	birthday
03	breakfast	아침식사	breakfast
04	carefully	주의 깊게	carefully
05	Chinese	중국어	Chinese
06	early	일찍	early
07	England	영국	England
08	fresh	신선한	fresh
09	grandmother	할머니	grandmother
10	guitar	기타	guitar
11	letter	편지	letter
12	library	도서관	library
13	magazine	잡지	magazine
14	market	시장	market
15	math	수학	math
16	sea	바다	sea
17	send	보내다	send
18	stage	무대	stage
19	station	역	station
20	vegetable	야채	vegetable

1 다음 우리말 뜻에 해당하는 영어 단어를 쓰세요.

01 도서관 → _____

02 편지 → _____

03 주의 깊게 → _____

04 중국어 → _____

05 아침식사 → _____

06 시장 → _____

07 바다 → _____

08 잡지 → _____

09 역 → _____

10 보내다 → _____

11 기타 → _____

12 배낭 → _____

2 다음 우리말과 일치하도록 보기에서 알맞은 단어를 골라 쓰세요.

| England　　stage　　magazine　　fresh　　birthday |

01 캐시는 무대에서 노래했다.

→ Cathy sang a song on _____.

02 내 친구들이 나의 생일 파티에 왔다.

→ My friends came to my _____ party.

03 내 엄마는 시장에서 신선한 야채를 사셨다.

→ My mom bought _____ vegetables at the market.

중요문법 요점정리

▶ 동사의 과거 형태로, _____ 변화 과거형과 _____ 변화 과거형이 있습니다.

▶ 규칙 변화 과거형: 일반동사를 과거형으로 만들 때 _____ 의 경우 동사에 '-_____'를 붙입니다.

▶ 불규칙 변화 과거형

동사원형	과거형	동사원형	과거형	동사원형	과거형
say	said	come		send	
become		buy	bought	sing	
eat	ate	have		sit	sat
make		know	knew	go	

다음 단어를 3번씩 더 쓰세요.

	단어	뜻	쓰기
01	answer	답	answer
02	children	아이들	children
03	dinner	저녁식사	dinner
04	finish	마치다	finish
05	fix	고치다	fix
06	grandparents	조부모	grandparents
07	help	돕다	help
08	homework	숙제	homework
09	learn	배우다	learn
10	meeting	미팅, 회의	meeting
11	morning	아침	morning
12	news	뉴스	news
13	newspaper	신문	newspaper
14	novel	소설	novel
15	sleep	자다	sleep
16	station	역	station
17	today	오늘	today
18	use	사용하다	use
19	watch	보다	watch
20	week	주, 일주일	week

1 다음 우리말 뜻에 해당하는 영어 단어를 쓰세요.

01 아이들 → _____ 02 오늘 → _____

03 주, 일주일 → _____ 04 아침 → _____

05 답 → _____ 06 숙제 → _____

07 돕다 → _____ 08 사용하다 → _____

09 저녁식사 → _____ 10 배우다 → _____

11 뉴스 → _____ 12 소설 → _____

2 다음 우리말과 일치하도록 보기에서 알맞은 단어를 골라 쓰세요.

> grandparents   novel   newspaper   today   finish

01 마이크는 오늘 아침에 신문을 읽었다.

→Mike read the _____ this morning.

02 그는 그의 조부모님과 함께 살았니?

→ Did he live with his _____?

03 네 누나는 숙제를 마쳤니?

→ Did your sister _____ her homework?

중요문법 요점정리

▶ 현재형 일반동사가 있는 문장의 부정문과 의문문은 주어에 따라 _____ not[don't]나 not[doesn't]를 사용하지만 과거형 문장은 주어와 상관없이 _____ not[didn't]만 붙입니다.

▶ 일반동사 과거형 부정문은 동사의 앞에 **did not**을 붙이고, 동사를 _____ 으로 바꿔 씁니다. did not은 _____ 로 줄여 쓸 수 있습니다.

▶ 일반동사 과거형의 의문문을 만들 때는 주어 앞에는 _____ 를 쓰고 동사를 원형으로 바꿉니다.

▶ 일반동사 과거형 의문문에 대한 대답

질문	응, 그래.	아니, 그렇지 않아.
Did you(너) ~?	Yes, I _____.	No, I _____.

💧 다음 단어를 3번씩 더 쓰세요.

	단어	뜻	쓰기
01	afraid	두려워하는	afraid
02	again	다시	again
03	careful	조심하는	careful
04	clothes	옷	clothes
05	floor	바닥	floor
06	goodbye	안녕	goodbye
07	honest	정직한	honest
08	late	늦은	late
09	lazy	게으른	lazy
10	lie	거짓말하다	lie
11	meal	식사	meal
12	noise	소음	noise
13	open	열다	open
14	quite	조용한	quite
15	send	보내다	send
16	tonight	오늘 밤	tonight
17	turn on	～을 켜다	turn on
18	warm	따뜻한	warm
19	waste	낭비하다	waste
20	window	창문	window

1 다음 우리말 뜻에 해당하는 영어 단어를 쓰세요.

01 바닥 → _____   02 조심하는 → _____

03 열다 → _____   04 정직한 → _____

05 낭비하다 → _____   06 두려워하는 → _____

07 소음 → _____   08 거짓말하다 → _____

09 게으른 → _____   10 다시 → _____

11 옷 → _____   12 보내다 → _____

2 다음 우리말과 일치하도록 보기에서 알맞은 단어를 골라 쓰세요.

> lie   turn on   tonight   goodbye   meals

01 나에게 안녕이라고 말하지 마라.

→ Do not say _____ to me.

02 식사 전에 손을 씻어라.

→ Wash your hands before _____.

03 컴퓨터를 켜주세요.

→ Please _____ the computer.

중요문법 요점정리

▶ 명령문이란 상대방에게 '~해라', '~하지 마라'라고 어떤 행동을 명령하거나 지시하는 문장입니다.
명령문은 주어(_____) 없이 바로 _____으로 시작합니다.

▶ _____명령문은 상대방(너 또는 너희들)에게 '~해라'라고 명령하는 문장입니다.

· _____ quiet. 조용히 해라.

▶ _____명령문은 상대방(너 또는 너희들)에게 '~하지 마라'라고 명령하는 문장으로 긍정명령문 앞에 _____가 옵니다.

· Don't _____ late. 늦지 마라.

▶ 좀 더 공손하게 표현하기 위해 문장 맨 앞이나 뒤에 _____를 붙여 사용할 수 있습니다.

다음 단어를 3번씩 더 쓰세요.

	단어	뜻	쓰기
01	afternoon	오후	afternoon
02	baseball	야구	baseball
03	chat	수다 떨다	chat
04	church	교회	church
05	class	수업	class
06	early	일찍	early
07	festival	축제	festival
08	film	영화	film
09	hiking	도보여행	hiking
10	hour	시간	hour
11	lesson	수업	lesson
12	live	살다	live
13	morning	아침	morning
14	night	밤	night
15	rise	(해 등) 뜨다	rise
16	spring	봄	spring
17	start	시작하다	start
18	stay	머무르다	stay
19	store	상점	store
20	vacation	휴가, 방학	vacation

1 다음 우리말 뜻에 해당하는 영어 단어를 쓰세요.

01 머무르다 → _____ 02 수업 → _____

03 수다 떨다 → _____ 04 아침 → _____

05 도보여행 → _____ 06 오후 → _____

07 영화 → _____ 08 시간 → _____

09 (해 등) 뜨다 → _____ 10 밤 → _____

11 봄 → _____ 12 살다 → _____

2 다음 우리말과 일치하도록 보기에서 알맞은 단어를 골라 쓰세요.

> vacation   spring   festival   lesson   store

01 그 상점은 저녁 10시에 문을 닫는다.

→ The _____ closes at 10 o'clock in the evening.

02 나는 겨울방학 동안 캐나다에 갈 것이다.

→ I will go to Canada during the winter _____.

03 그 영화제는 10월 22일 끝난다.

→ The film _____ ends on October 22nd.

중요문법 요점정리

▶ 시간 전치사 at, in, on 등은 '~에'의 뜻을 가지고 있습니다.

_____	시각 / 정오 / 밤	I get up _____ 7 o'clock.
_____	요일 / 날짜 / 특별한 하루	I go swimming _____ Monday.
_____	달 이름 / 계절 / 연도	I visit my uncle _____ June.

▶ 시간 전치사 for, during은 '~동안'이란 의미로 기간을 나타낼 때 사용한다.

_____	_____ 기간	I lived in Korea _____ 5 years.
_____	특정 기간	We stayed here _____ the vacation.

💧 다음 단어를 3번씩 더 쓰세요.

	단어	뜻	쓰기
01	a lot of	많은	a lot of
02	always	언제나	always
03	bank	은행	bank
04	basket	바구니	basket
05	bookstore	서점	bookstore
06	bridge	다리	bridge
07	classroom	교실	classroom
08	coin	동전	coin
09	floor	바닥	floor
10	gym	체육관	gym
11	language	언어	language
12	library	도서관	library
13	museum	박물관	museum
14	noon	정오	noon
15	people	사람들	people
16	picture	그림	picture
17	pocket	주머니	pocket
18	pool	수영장	pool
19	theater	극장	theater
20	vase	꽃병	vase

1 다음 우리말 뜻에 해당하는 영어 단어를 쓰세요.

01 극장 → _____ 02 그림 → _____

03 다리 → _____ 04 교실 → _____

05 동전 → _____ 06 주머니 → _____

07 박물관 → _____ 08 언어 → _____

09 은행 → _____ 10 언제나 → _____

11 체육관 → _____ 12 사람들 → _____

2 다음 우리말과 일치하도록 보기에서 알맞은 단어를 골라 쓰세요.

library   a lot of   bridge   noon   vase

01 정오에 은행 앞에서 만나자.

→ Let's meet in front of the bank at _____.

02 꽃병 안에 꽃이 있다.

→ There are flowers in the _____.

03 세상에는 많은 언어들이 있다.

→ There are _____ languages in the world.

중요문법 요점정리

▶ 장소 전치사는 _____를 나타내는 명사의 앞에 위치하는 말로, '~에(서)'의 뜻입니다.

_____	좁은 장소 / 구체적 장소	_____ home 집에(서)
	도시, 국가, 대륙 등 앞	_____ London 런던에(서)

▶ 위치 전치사란 _____를 나타내는 명사의 앞에 오는 말로, '(장소) ~에(서)'의 뜻입니다.

_____	~에(서), ~위에(서)	_____	~ 앞에(서)
	~안에(내부의)		~ 뒤에(서)
	~ 옆에		~ 아래에(서)

다음 단어를 3번씩 더 쓰세요.

	단어	뜻	쓰기
01	angry	화난	angry
02	bookstore	서점	bookstore
03	bus	버스	bus
04	busy	바쁜	busy
05	cellphone	휴대전화	cellphone
06	December	12월	December
07	favorite	좋아하는	favorite
08	fruit	과일	fruit
09	hobby	취미	hobby
10	interview	인터뷰	interview
11	late	늦은	late
12	museum	박물관	museum
13	next	다음의	next
14	office	사무실	office
15	parents	부모	parents
16	strawberry	딸기	strawberry
17	teacher	선생님	teacher
18	today	오늘	today
19	walk	산책시키다	walk
20	weather	날씨	weather

1 다음 우리말 뜻에 해당하는 영어 단어를 쓰세요.

01 서점 → _____ 02 사무실 → _____

03 딸기 → _____ 04 부모 → _____

05 오늘 → _____ 06 과일 → _____

07 바쁜 → _____ 08 12월 → _____

09 좋아하는 → _____ 10 박물관 → _____

11 취미 → _____ 12 버스 → _____

2 다음 우리말과 일치하도록 보기에서 알맞은 단어를 골라 쓰세요.

office   interview   weather   next   angry

01 오늘 날씨가 어떠니?

→ How is the _____ today?

02 인터뷰는 다음 주 월요일이다.

→ The _____ is next Monday.

03 너는 왜 나한테 화가 났니?

→ Why are you _____ with me?

중요문법 요점정리

▶ _____ 는 의문문 맨 앞에 와서 '누가? 무엇을? 언제? 어디서? 어떻게? 왜?' 등에 대한 구체적인 정보를 얻기 위해 사용합니다.

_____	누구, 누가	_____	어디에(서), 어디로
_____	무엇, 무엇이, 무엇을	_____	왜
_____	언제	_____	어떻게, (상태가) 어떤

▶ be동사가 있는 의문사 의문문을 만들 때에는 [_____+be동사+주어 ~?]의 순서가 되어야 하며 이때 의문사의 첫 알파벳은 대문자로 써야 합니다.

A: _____ are these? 이것들은 무엇이니?   B: They are pumpkins. 그것들은 호박이야.

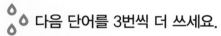 다음 단어를 3번씩 더 쓰세요.

	단어	뜻	쓰기
01	again	다시	again
02	airport	공항	airport
03	beach	해변	beach
04	coin	동전	coin
05	drink	마시다	drink
06	learn	배우다	learn
07	live	살다	live
08	lunch	점심(식사)	lunch
09	meet	만나다	meet
10	most	가장	most
11	movie	영화	movie
12	museum	박물관	museum
13	noodle	국수	noodle
14	pocket	주머니	pocket
15	problem	문제	problem
16	solve	해결하다	solve
17	stay	머무르다	stay
18	tomorrow	내일	tomorrow
19	tonight	오늘 밤	tonight
20	usually	보통	usually

1 다음 우리말 뜻에 해당하는 영어 단어를 쓰세요.

01 보통 → _____ 02 해변 → _____

03 공항 → _____ 04 문제 → _____

05 점심(식사) → _____ 06 박물관 → _____

07 다시 → _____ 08 살다 → _____

09 해결하다 → _____ 10 국수 → _____

11 주머니 → _____ 12 만나다 → _____

2 다음 우리말과 일치하도록 보기에서 알맞은 단어를 골라 쓰세요.

tomorrow   learn   movie   stay   pocket

01 그들은 오늘 밤 어디에서 머무를 거니?

→ Where are they going to _____ tonight?

02 그들은 왜 그 영화를 다시 보기를 원하니?

→ Why do they want to see the _____ again?

03 너는 내일 어디에 갈 예정이니?

→ Where are you going to go _____ ?

중요문법 요점정리

▶ 일반동사가 있는 의문사 의문문은 [의문사+_____+주어+_____ ~?]의 형태입니다.
  · What _____ you _____ at school? 너는 학교에서 무엇을 배우니?
▶ can이 있는 의문사 의문문은 [_____+_____+주어+동사원형~?]의 형태입니다.
  · _____ _____ I do for you? 무엇을 도와 드릴까요?
▶ be going to가 있는 의문사 의문문을 만들 때에는 [의문사+_____+주어+
  _____+동사원형~?]의 순서가 되어야 합니다.
  · What are you _____ _____ _____ tomorrow? 너는 내일 무엇을 할 거니?

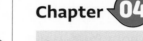

Vocabulary Workbook
Answers

Chapter 01

1 01 music   02 salt   03 live   04 math
    05 cheese   06 buy   07 rice   08 money
    09 nurse   10 history   11 onion   12 learn

2 01 science   02 bread   03 cousins

중요문법 요점정리
▶ 있는 / 없는
▶ 않는 / 스포츠 / 사람 / 국가 / 액체 / 과목 / salt
▶ some

Chapter 02

1 01 sky   02 magazine   03 speak   04 sea
    05 interesting   06 east   07 people   08 rise
    09 garage   10 song   11 tennis   12 moon

2 01 bright   02 world   03 baseball

중요문법 요점정리
▶ 정관사 / 특정한
▶ 다시 / 하나 / 알고 / 악기
▶ 식사 / 운동 / 언어

Chapter 03

1 01 farm   02 floor   03 coin   04 plate
    05 pocket   06 garage   07 bowl   08 rose
    09 children   10 park   11 potato   12 wall

2 01 garage   02 milk   03 basket

중요문법 요점정리
▶ there
▶ 단수명사 / 복수명사 / is / an apple / are / apples
▶ 없는 / is / salt

Chapter 04

1 01 eraser   02 toy   03 classroom   04 gym
    05 children   06 garden   07 cheese   08 town
    09 floor   10 bed   11 fork   12 street

2 01 shelf   02 playground   03 bottle

중요문법 요점정리
▶ not / 단수명사 / 복수명사 / 없는
▶ be동사

Chapter 05

1 01 coin   02 crayon   03 summer   04 cook
    05 clean   06 strong   07 river   08 snow
    09 rabbit   10 turtle   11 brown   12 towel

2 01 cucumbers   02 winter   03 restaurant

중요문법 요점정리
▶ 형용사 / 반대 / dirty / short / hot / old
▶ 복수명사 / 없는 / a lot of
▶ 부정문

Chapter 06

1 01 always   02 bark   03 solve   04 place
    05 today   06 soldier   07 fresh   08 speak
    09 voice   10 problem   11 walk   12 brave

2 01 story   02 ending   03 answer

중요문법 요점정리
▶ 동사 / 부사
▶ 형용사 / ly / 동사 / loudly / i / happily / y / gently

Chapter 07

1 01 year 02 gym 03 language 04 class
05 week 06 weight 07 floor 08 hundred
09 eleven 10 month 11 office 12 son

2 01 seasons 02 competition 03 September

중요문법 요점정리
▶ 수 / 시각 / 나이 / 전화번호
▶ 순서 / the / second / the

Chapter 08

1 01 hundred 02 July 03 thousand
04 October 05 May 06 dollar
07 November 08 fifth 09 zero
10 September 11 March 12 thirty

2 01 fourth 02 January 03 double 04 ninth
05 hundred

중요문법 요점정리
▶ 세 / 기수 / s
▶ 기수 / double
▶ 기수 / 두
▶ 서수 / the
▶ 기수 / 화폐 / dollars

Chapter 09

1 01 shirt 02 winter 03 English 04 famous
05 summer 06 movie 07 farmer 08 woman
09 brown 10 with 11 shoe 12 school

2 01 busy 02 spoon 03 hungry

중요문법 요점정리
▶ was / were
▶ not / wasn't / weren't
▶ 주어
▶ 전치사

Chapter 10

1 01 library 02 letter 03 carefully 04 Chinese
05 breakfast 06 market 07 sea 08 magazine
09 station 10 send 11 guitar 12 backpack

2 01 stage 02 birthday 03 fresh

중요문법 요점정리
▶ 규칙 / 불규칙
▶ 대부분 / ed
▶ came / sent / became / sang / had / made / went

Chapter 11

1 01 children 02 today 03 week 04 morning
05 answer 06 homework 07 help 08 use
09 dinner 10 learn 11 news 12 novel

2 01 newspaper 02 grandparents 03 finish

중요문법 요점정리
▶ do / does / did
▶ 원형 / didn't
▶ Did
▶ did / didn't

Chapter 12

1 01 floor 02 careful 03 open 04 honest
05 waste 06 afraid 07 noise 08 lie
09 lazy 10 again 11 clothes 12 send

2 01 goodbye 02 meals 03 turn on

중요문법 요점정리
▶ You / 동사원형
▶ 긍정 / Be
▶ 부정 / Don't / be
▶ please

Chapter 13

1
01 stay	02 class	03 chat	04 morning
05 hiking	06 afternoon	07 film	08 hour
09 rise	10 night	11 spring	12 live

2 01 store   02 vacation   03 festival

중요문법 요점정리
- ▶ at / at / on / on / in / in
- ▶ for / 숫자 / for / during / during

Chapter 14

1
01 theater	02 picture	03 bridge	04 classroom
05 coin	06 pocket	07 museum	08 language
09 bank	10 always	11 gym	12 people

2 01 noon   02 vase   03 a lot of

중요문법 요점정리
- ▶ 장소 / at / at / in / in
- ▶ 위치 / on / in front of / in / behind / next to / under

Chapter 15

1
01 bookstore	02 office	03 strawberry	04 parents
05 today	06 fruit	07 busy	08 December
09 favorite	10 museum	11 hobby	12 bus

2 01 weather   02 interview   03 angry

중요문법 요점정리
- ▶ 의문사 / Who / Where / What / Why / When / How
- ▶ 의문사 / What

Chapter 16

1
01 usually	02 beach	03 airport	04 problem
05 lunch	06 museum	07 again	08 live
09 solve	10 noodle	11 pocket	12 meet

2 01 stay   02 movie   03 tomorrow

중요문법 요점정리
- ▶ do[does] / 동사원형 / do / learn
- ▶ 의문사 / can / What can
- ▶ be동사 / going to / going to do

Longman

GRAMMAR
HOUSE
초등영문법

2

ANSWERS

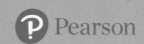

✈ Answers

Chapter 01 셀 수 없는 명사

Practice 1   p. 7

1 01 셀 수 있는 명사: mother, nurse
02 셀 수 없는 명사: math
03 셀 수 없는 명사: Jane, milk
04 셀 수 있는 명사: friends
05 셀 수 없는 명사: Tom, rice
06 셀 수 있는 명사: uncle   셀 수 없는 명사: ice
07 셀 수 있는 명사: cousins, room
08 셀 수 없는 명사: coffee
09 셀 수 있는 명사: man, horse
10 셀 수 없는 명사: cheese

Practice 2   p. 8

1 01 money   02 milk   03 ice   04 coffee
05 water   06 Korea   07 Smith   08 England
09 rice   10 books   11 soccer   12 music
13 Jane   14 science   15 salt

Practice 3   p. 9

1 01 basketball   02 water   03 Jane
04 Canada   05 some oranges 06 coffee
07 O   08 history   09 some money
10 O   11 science   12 cheese

해석 및 해설
02 *셀 수 없는 명사 앞에는 a나 an을 쓸 수 없습니다.
05 *some은 복수명사나 셀 수 없는 명사 앞에 쓸 수 있습니다.

Chapter 02 정관사

Practice 1   p. 11

1 01 X   02 The   03 X   04 X
05 The   06 the   07 the   08 X
09 the   10 X   11 the   12 the

Practice 2   p. 12

1 01 a / The   02 a / The   03 a / The   04 the
05 a / the   06 a / The   07 a / the   08 the / The
09 an / The   10 a / The   11 A / The   12 X / X

해석 및 해설
04 *서로 알고 있는 말할 때 the를 씁니다.
08 *세상에서 하난 밖에 없는 명사 앞에 the를 씁니다.

Practice 3   p. 13

1 01 dinner   02 the flute   03 breakfast
04 The sun   05 baseball   06 milk
07 the sky   08 tennis   09 the world
10 English

Chapter 03 There is / There are

Practice 1   p. 15

1 01 is   02 are   03 are   04 is
05 is   06 are   07 is   08 are
09 are   10 is   11 are   12 are

해석 및 해설
01 *단수명사 a lamp가 왔으므로 is가 와야 합니다.
04 *milk는 셀 수 없는 명사이므로 is가 와야 합니다.

Practice 2   p. 16

1 01 bears   02 apples   03 a desk   04 milk
05 tomatoes   06 a coin   07 rice   08 benches
09 a fork   10 toys   11 stars   12 a picture

해석 및 해설
01 *are가 있으므로 복수명사가 와야 합니다.
04 *milk는 셀 수 없는 명사이므로 some과 쓸 수 있습니다.
07 *rice는 셀 수 없는 명사이므로 some과 쓸 수 있습니다.

Practice 3   p. 17

1 01 There are apples in the basket.
02 There are some potatoes in the box.
03 There are roses in the garden.
04 There is a sofa in the living room.
05 There are my friends in the classroom.
06 There are cows on the farm.
07 There is a car in the garage.
08 There are some girls at the bus stop.
09 There is cheese on the bread.
10 There is a piano in the room.
11 There is a box on the floor.
12 There are books in my bag.

해석 및 해설

01 *복수명사 apples가 왔으므로 There are가 와야 합니다.

Chapter 04 There is / There are
– 부정문과 의문문

Practice 1
p. 19

1
01 There aren't	02 There is
03 There are	04 There isn't
05 are	06 aren't
07 No, there aren't.	08 Yes, there are.
09 Yes, there is.	10 Yes, there are.

해석 및 해설

01 바구니에 사과가 하나도 없다.

02 책상 위에 컴퓨터가 있다.

03 상자에 장난감들이 있다.

04 병에 물이 전혀 없다.

05 선반에 책이 조금 있다.

06 정원에 장미들이 하나도 없다.

07 A: 거리에 자동차들이 있니? B: 아니, 없어.

08 A: 바구니에 달걀들이 있니? B: 응, 있어.

09 A: 거실에 소파가 있니? B: 응, 있어.

10 A: 수영장에 아이들이 있니? B: 응, 있어.

Practice 2
p. 20

1
01 Is	02 children	03 Are
04 Is	05 a pencil	

해석 및 해설

01 *단수명사 a girl이 왔으므로 Is가 와야 합니다.

02 *be동사 are가 왔으므로 children이 와야 합니다.

03 *복수명사 cats가 왔으므로 Are가 와야 합니다.

2
01 there is	02 there isn't	03 there are
04 there isn't	05 there are	

Practice 3
p. 21

1
01 There are strawberries	02 There aren't any cookies
03 Are there students	04 There are flowers
05 Is there a zoo	06 There is cheese
07 There are some forks	08 Are there computers
09 Is there a piano	10 There isn't any water
11 There aren't many students	
12 Is there a yellow car	

Review Test 1
p. 22

01 ③	02 ③	03 ③	04 ⑤	05 ④
06 X	07 X	08 The	09 ①	10 are
11 is	12 ④	13 ④	14 ②	15 ④
16 ③	17 Yes, there is.		18 No, there aren't.	
19 Yes, there are.	20 ②	21 ③		

22 are   23 He doesn't drink milk.

24 There are a lot of animals in the world.

25 Would you close the door?

26 (1) are (2) is (3) isn't   27 isn't   28 A / The

29 There are cows on the field.

30 There is some milk in the bottle.

해석 및 해설

01 *school은 하나 둘 셀 수 있는 보통명사입니다.

02 나는 오렌지가 조금 있다. / 나는 소금이 있다.
 *셀 수 있는 명사의 복수형과 셀 수 없는 명사 앞에 some을 쓸 수 있습니다.

03 나는 기타를 연주한다. / 창문을 열어주시겠어요?
 *특정한 것이나 play 뒤 악기 앞에는 정관사 the를 씁니다.

04 ① 나의 어머니는 간호사다.
 ② 우리는 학교에서 수학을 배운다.
 ③ 그는 커피를 마시지 않는다.
 ④ 그는 아침에 우유를 마신다.
 *play 다음 운동경기 앞에는 관사를 붙이지 않습니다.

05 ① 나는 물이 좀 필요하다.
 ② 우리는 한국에 산다.
 ③ 그는 누나 둘이 있다.
 ⑤ 그들은 매일 빵을 먹는다.
 *과목명 앞에는 관사를 붙이지 않습니다.

06 그들은 방과 후에 축구를 한다.

07 우리는 중국어를 배운다.

08 그는 자전거가 있다. 그 자전거는 빨간색이다.

09 ① 나는 정오에 점심식사를 한다.
 ② 우리는 피아노를 친다.
 ③ 새들이 하늘에서 난다.
 ④ 달을 보아라.
 ⑤ 그는 바다에서 수영할 수 있다.
 *식사이름 앞에는 the를 붙이지 않습니다.

10 바구니에 사과가 조금 있다.

11 내 방에는 침대가 있다.

12 *be동사가 is이므로 복수명사는 올 수 없습니다.

13 *be동사가 are이므로 복수명사가 와야 합니다.

14 ① 상자에 책이 좀 있다.
 ③ 방에 소년이 있다.
 ④ 방에 내 친구들이 있다.
 ⑤ 소파에 개가 있다.
 *동사가 are이면 복수명사가 와야 합니다.

15 ① 부엌에 식탁이 있다.
　② 하늘에 많은 별들이 있다.
　③ 방에 피아노가 있다.
　⑤ 식탁 아래에 고양이가 있다.
　*동사가 are이면 복수명사가 와야 합니다.

16 A: 가방에 책들이 있니?

17 A: 벽에 시계가 있니?

18 A: 교실에 학생들이 있니?

19 A: 교실에는 의자들이 있니?

21 ① 상자에 당근들이 조금 있다.
　② 나는 방과 후에 피아노를 친다.
　④ 식탁 위에 포크가 없다.
　⑤ 태양은 동쪽에서 떠오른다.
　*언어 앞에는 관사가 붙지 않습니다.

22 바구니에 감자가 다섯 개 있다.
　방에 아이들이 있다.

23 그는 우유를 마시지 않는다.

24 세상에는 많은 동물들이 있다.

25 문을 닫아 주시겠어요?

Chapter 05 형용사 II

Practice 1
p. 27

1 01 new　02 dirty　03 hot　04 poor
　　05 fast　06 is long　07 is weak　08 is short

해석 및 해설

01 노란 신발은 새 것이다. / 갈색 신발은 낡았다.

02 그 수건은 깨끗하다. / 그 티셔츠는 더럽다.

03 여름은 덥다. / 겨울은 춥다.

04 그 여성은 부자다. / 그 남성은 가난하다.

05 그 토끼는 빠르다. / 그 거북은 느리다.

06 그 연필은 길다. / 그 크레용은 짧다.

07 샘은 강하다. / 마이크는 약하다.

08 캐시는 키가 크다. / 케빈은 키가 작다.

Practice 2
p. 28

1 01 many　02 many　03 much
　　04 a lot of　05 much　06 many
　　07 a lot of　08 much　09 many
　　10 many　11 coins　12 a lot of

해석 및 해설

01 *much는 셀 수 없는 명사 앞에 옵니다.

Practice 3
p. 29

1 01 many　02 much　03 many
　　04 much　05 much

2 01 a clean towel　02 cold water　03 a new car
　　04 a small dog　05 a good student

Chapter 06 부사

Practice 1
p. 31

1 01 부사　02 형용사　03 부사　04 부사
　　05 형용사　06 부사　07 부사　08 형용사
　　09 형용사　10 부사　11 형용사　12 부사

Practice 2
p. 32

1 01 kindly　02 real　03 loudly　04 soft
　　05 quickly　06 happily　07 brave　08 beautifully
　　09 gently　10 lovely　11 quietly　12 easily

해석 및 해설

10 *명사에 -ly가 붙으면 형용사가 됩니다.

Practice 3
p. 33

1 01 busily / busy　02 slowly / slow
　　03 loud / loudly　04 kind / kindly
　　05 beautiful / beautifully　06 quiet / quietly
　　07 happily / happy　08 easy / easily

해석 및 해설

01 나의 아버지는 바쁘게 일하신다. / 나의 아버지는 오늘 바쁘다.

02 나의 친구들은 학교에 천천히 걸어간다. / 나의 친구들은 느린 수영 선수다.

03 나는 시끄러운 음악을 듣지 않는다. / 그들은 내게 큰 소리로 말한다.

04 린다는 매우 친절하다. / 린다는 아이들에게 친절하게 말한다.

05 내 여동생은 아름다운 목소리를 가졌다. / 내 여동생은 아름답게 노래한다.

06 그녀는 조용한 곳에서 공부한다. / 그녀는 항상 조용히 말한다.

07 나의 가족은 행복하게 산다. / 그 영화는 행복하게 끝난다.

08 그것은 쉬운 질문이다. / 너는 쉽게 질문에 답할 수 있다.

Chapter 07 기수와 서수

Practice 1
p. 35

1 01 eleven / eleventh 02 nine / ninth
03 twelve / twelfth 04 eight / eighth
05 three / third 06 forty / fortieth
07 fifty / fiftieth 08 sixty / sixtieth
09 eighty / eightieth
10 seventy-six / seventy-sixth
11 eighty-one / eighty-first
12 one hundred / one hundredth

Practice 2
p. 36

1 01 two 02 forty-five 03 third
04 first 05 seven 06 second
07 seven 08 the seventh 09 forty-one
10 apples 11 five 12 the tenth
13 second 14 five 15 thirty

해석 및 해설
01 나는 삼촌이 2명 있다.
02 나의 엄마는 45세이시다.
03 이번이 나의 세 번째 한국 방문이다.
04 오늘이 학교 등교 첫 번째 날이다.
05 나는 7시에 일어난다.
06 나는 왼쪽에서 두 번째 집에 산다.
07 일주일은 7일이다.
08 7월은 일 년 중 일곱 번째 달이다.
09 체육관에 41명의 학생이 있다.
10 바구니에 사과가 12개 있다.
11 그녀는 5개 언어로 말할 수 있다.
12 그의 사무실은 10층에 있다.
13 내 둘째 아들은 야구 선수다.
14 줄리는 오늘 수업이 5개 있다.
15 우리는 30개의 오렌지가 필요하다.

Practice 3
p. 37

1 01 ten 02 four 03 bags
04 seven 05 ninth 06 eleven
07 thirty-one 08 second 09 three
10 ten 11 five 12 days
13 third 14 50 15 first

해석 및 해설
01 나의 여동생은 10살이다.
02 1년에는 사계절이 있다.
03 나의 엄마는 노란 가방이 두 개 있다.
04 식탁에 포크가 7개 있다.
05 제시카는 9층에 산다.
06 오늘은 나의 11번째 생일이다.
07 그 셔츠는 31달러다.
08 오늘은 새해의 두 번째 날이다.
09 마이크는 3개의 빨간색 연필이 있다.
10 우리는 10분 동안 휴식할 것이다.
11 나는 피자 5조각을 원한다.
12 9월에는 30일이 있다.
13 이번이 나의 이 식당 세 번째 방문이다.
14 나는 15살이고 몸무게는 50kg이다.
15 그녀는 그 대회에서 1등을 할 것이다.

Chapter 08 수 읽기

Practice 1
p. 39

1 01 two thousand ten
02 nineteen ninety-one
03 the fifth bag
04 one zero two five, four five six two
05 seven hundred fifty-six dollars
06 nine hundred three
07 the fourth grade
08 January twenty-first, two thousand twenty

Practice 2
p. 40

1 01 nine hundred twenty-six dollars
02 nineteen oh nine
03 September (the) fourth[4th]
04 July (the) sixteenth, two thousand one
05 one thousand five hundred twenty dollars
06 May (the) fifth[5th]
07 eight zero three two, three two double five
08 March (the) fifth[5th], two thousand sixteen
09 five hundred twenty-three dollars
10 two thousand twenty
11 October (the) fifteenth[15th]
12 August (the) third[3rd]
13 two thousand nine hundred fifty-four
14 October (the) fifth[5th], nineteen ninety-five
15 two hundred fifty dollars

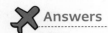

Practice 3   p. 41

1 01 2011   02 3,005   03 159
04 11월 9일   05 5월 21일   06 2503-8990
07 375   08 2021   09 1900
10 31   11 1,300   12 5
13 3,530   14 5390-2734   15 2011년 3월 21일

Review Test 2   p. 42

01 ④   02 ③   03 ②   04 short   05 dirty
06 ③   07 carefully   08 easily   09 ⑤
10 ⑤   11 ①   12 ②   13 third
14 thirty-one
15 (1) twenty-three / twenty-third (2) forty / fortieth
16 ④   17 ④   18 ③
19 달: March   날짜: (the) sixteenth
20 달: August   날짜: (the) twenty-ninth
21 (1) 7,956 (2) 2005 (3) 2016 / 4 / 6 (4) 11 / 21
22 ③   23 (1) many (2) much   24 can walk slowly
25 has a beautiful voice   26 (1) quiet (2) quietly
27 (1) slowly (2) slow   28 ③
29 (1) two thousand one hundred sixty (dollars)
    (2) two thousand twelve
    (3) May (the) fifteenth[15th]
    (4) four five seven, five four zero eight
30 (1) thousand (2) seventeenth

해석 및 해설

01 *long은 '긴', high는 '높은'이란 뜻입니다.
02 바구니에는 많은 장난감들이 있다.
   *형용사 many는 복수명사와 함께 씁니다.
03 상자에는 많은 돈이 없다.
   *much는 셀 수 없는 명사와 함께 씁니다.
06 *명사 friend에 -ly가 붙으면 형용사입니다.
07 그는 조심스럽게 운전한다.
08 나는 매우 쉽게 잠든다.
09 ① 그 소년들은 큰 소리로 노래한다.
   ② 그 소년은 빨리 말한다.
   ③ 그들은 친절한 학생들이다.
   ④ 그들은 천천히 걷는다.
   *동사 smiles를 수식하는 부사 happily가 와야 합니다.
10 ① 방에 많은 책들이 있다.
   ② 그녀는 많은 돈이 있다.
   ③ 거리에 많은 자동차들이 있다.
   ④ 우리는 많은 치즈가 있다.
   *many는 복수명사와 함께 씁니다.
11 마이크는 빠른 차를 가지고 있다. / 샘은 빨리 달린다.
   *fast는 형용사와 부사의 형태가 같습니다.

12 *nine의 서수는 ninth입니다.
13 나는 왼쪽에서 세 번째 집에 산다.
14 1월은 31일이 있다.
16 ① 식탁에는 포크 여섯 개가 있다.
   ② 그의 사무실은 10층이다.
   ③ 그녀는 세 개의 언어로 말할 수 있다.
   ⑤ 오늘은 나의 학교 첫 날이다.
   *수를 말할 때는 기수를 씁니다.
17 *85는 eighty-five입니다.
18 *21일은 서수로 twenty-first입니다.
22 A: 오늘이 며칠이니?
23 (1) 정원에는 많은 꽃들이 있다.
   (2) 너는 매일 물을 많이 마시니?
26 그들은 조용한 곳에서 공부한다. / 그들은 언제나 조용히 말한다.
27 그는 천천히 걷는다. / 그 거북들은 매우 느리다.
28 ① 나는 7시에 일어난다.
   ② 그녀는 많은 연필들이 있다.
   ④ 이것은 새 컴퓨터다.
   ⑤ 나는 25달러가 있다.
   *순서를 나타낼 때는 서수를 씁니다.

Chapter 09   be동사 과거형

Practice 1   p. 47

1 01 was   02 was   03 were   04 were
05 was   06 was   07 were

해석 및 해설

01 나는 어제 집에 있었다.
02 그는 교실에 있었다.
03 그들은 가수였다.
04 우리는 지난밤 배가 고팠다.
05 그 개는 작았었다.
06 브라이언은 어제 아팠다.
07 그 영화들은 재미있었다.

Practice 2   p. 48

1 01 I was in my room. / I wasn't in my room.
02 There was a spoon on the table. / There wasn't a spoon on the table.
03 We were good students. / We weren't good students.
04 He was hungry. / He wasn't hungry.
05 Tom was with his friends. / Tom wasn't with his friends.
06 We were good at English. / We weren't good at English.
07 My room was clean. / My room wasn't clean.
08 They were on the table. / They weren't on the table.

해석 및 해설

01 나는 방에 있다.

02 식탁에 숟가락이 있다.

03 우리는 좋은 학생들이다.

04 그는 배가 고프다.

05 톰은 그의 친구들과 있다.

06 우리는 영어를 잘한다.

07 내 방은 깨끗하다.

08 그것들은 식탁에 있다.

Practice 3 p.49

1 01 Was / was   02 Were / wasn't

    03 Was / she wasn't   04 Were / they were

    05 Was / she wasn't   06 Were / they were

    07 Was / it was   08 Were / they weren't

    09 Was / it was   10 Was / he wasn't

해석 및 해설

01 그는 어제 집에 있었니?

02 너는 학교에 늦었니?

03 네 엄마는 어제 바빴셨니?

04 그들은 작년에 한국에 있었니?

05 그녀는 유명한 가수였니?

06 그 연필들은 책상에 있었니?

07 그 영화는 재미있었니?

08 네 형들은 배가 고팠니?

09 그 고양이는 소파에 있었니?

10 그의 아버지는 농부셨니?

Chapter 10 일반동사 과거형

Practice 1 p.51

1 01 played   02 lived   03 watched   04 knew

    05 cried   06 ate   07 visited   08 drank

    09 sent   10 came   11 walked   12 bought

Practice 2 p.52

1 01 swam   02 went   03 sang   04 baked

    05 met   06 ate   07 arrived   08 told

    09 bought   10 taught   11 read   12 sent

Practice 3 p.53

1 01 I drank some milk.

    02 I made a big cake.

    03 They worked hard all the time.

    04 My brother got up early.

    05 Cindy played the guitar after school.

    06 My mom bought fresh vegetables at the market.

    07 My dad drove carefully.

    08 She went shopping with her mom.

    09 We loved K-pop music.

    10 He learned Chinese at school.

    11 He used the computer at night.

    12 Paul wrote a letter to me.

해석 및 해설

01 나는 우유를 조금 마신다.

02 나는 커다란 케이크를 만든다.

03 그들은 항상 열심히 일한다.

04 내 형은 일찍 일어난다.

05 신디는 방과 후에 기타를 연주한다.

06 내 엄마는 시장에서 신선한 야채를 사신다.

07 내 아빠는 주의 깊게 운전하신다.

08 그녀는 그녀의 엄마와 함께 쇼핑하러 간다.

09 우리는 케이팝 음악을 사랑한다.

10 그는 학교에서 중국어를 배운다.

11 그는 밤에 컴퓨터를 사용한다.

12 폴은 나에게 편지를 쓴다.

Chapter 11 일반동사 과거형 – 부정문/의문문

Practice 1 p.55

1 01 didn't play   02 didn't study   03 didn't go

    04 didn't play   05 didn't use   06 didn't get up

    07 didn't wash   08 didn't do

해석 및 해설

01 그들은 야구를 했다.

02 나는 방과 후에 영어공부를 했다.

03 그는 오늘 아침 수영하러 갔다.

04 그는 컴퓨터 게임을 했다.

05 그녀는 내 컴퓨터를 사용했다.

06 그들은 오늘 일찍 일어났다.

07 내 아빠는 설거지를 하셨다.

08 샘은 숙제를 했다.

Practice 2　　p. 56

1
01 Did / learn	02 Did / like	03 Did / buy
04 Did / write	05 Did / read	06 Did / help
07 Did / sing	08 Did / walk	09 Did / live
10 Did / know	11 Did / come	12 Did / finish

해석 및 해설
01 너는 학교에서 영어를 배웠다.
02 그녀는 케빈을 좋아했다.
03 그들은 상자들을 샀다.
04 그는 이메일을 썼다.
05 마이크는 오늘 아침에 신문을 읽었다.
06 너의 친구들은 너를 도왔다.
07 그 소녀는 케이팝 노래들을 불렀다.
08 그 아이들은 역까지 걸어갔다.
09 그는 그의 조부모님과 함께 살았다.
10 그들은 그 답을 알았다.
11 톰은 집에 돌아왔다.
12 그녀는 그녀의 일을 끝냈다.

Practice 3　　p. 57

1
01 I did	02 they didn't	03 she did
04 they did	05 he didn't	

해석 및 해설
01 너는 작년에 그 소설을 썼니?
02 그들은 어제 수영하러 갔니?
03 네 누나는 숙제를 마쳤니?
　*your sister는 she로 받습니다.
04 네 친구들은 피자를 좋아했니?
　*your friends는 they로 받습니다.
05 네 형은 컴퓨터가 있었니?
　*your brother는 he로 받습니다.

2
01 hear	02 come	03 Did
04 watch	05 didn't	

Chapter 12 명령문

Practice 1　　p. 59

1
01 Be	02 Give	03 Be
04 Be	05 Stay	06 close
07 Don't	08 Sit	09 Send
10 Don't go	11 Don't	12 Do not

Practice 2　　p. 60

1
01 Don't[Do not] watch TV. TV를 보지 마라.
02 Don't[Do not] lie to me. 내게 거짓말하지 마라.
03 Wash the dishes. 설거지를 해라.
04 Go to bed at ten. 10시에 잠을 자라.
05 Don't[Do not] come here. 이곳에 오지 마라.
06 Take care of your brother. 네 남동생을 돌봐라.
07 Don't[Do not] waste money. 돈을 낭비하지 마라.
08 Be honest. 정직해라.
09 Don't[Do not] be late for school. 학교에 지각하지 마라.
10 Don't[Do not] be lazy. 게으르지 마라.
11 Take a shower every day. 매일 샤워를 해라.
12 Clean your room. 네 방을 청소해라.

Practice 3　　p. 61

1
01 Don't open the box.
02 Sit down on the floor, please. /
　Please sit down on the floor.
2
03 Don't be sad.
04 Take this umbrella.
05 Turn on the computer, please. /
　Please turn on the computer.
06 Wear warm clothes.
07 Don't drink this milk.
08 Wash your hands before meals.
09 Be quiet in the library.
10 Don't make any noise, please. /
　Please don't make any noise.
11 Don't use my computer.
12 Don't be late again.

Review Test 3　　p. 62

01 ④	02 ⑤	03 ⑤	04 ③	05 ②
06 went	07 watched		08 ate	
09 ⑤	10 ⑤	11 ③	12 ⑤	13 ①
14 Did / cry		15 Did / read		16 ③

17 didn't cut the tree last Sunday
18 didn't play computer games	19 ①	20 ③
21 Don't be	22 Don't play	23 ①

24 My sister didn't clean the room.
25 Did he go to the bookstore?
　He didn't go to the bookstore.
26 Did Cathy buy a lamp? / Cathy didn't buy a lamp.
27 A: Did B: he didn't　　　28 went
29 (1) lived (2) sent (3) came
30 (1) made (2) cryed (3) sang (4) had

01 *동사가 과거 was이므로 now는 올 수 없습니다.

02 A: 그녀는 유명한 가수였니?

03 A: 책상에 연필들이 있었니?

04 *study의 과거형은 studied입니다.

05 *eat의 과거형은 ate입니다.

06 그들은 어제 학교에 갔다.

07 나는 어젯밤에 TV를 봤다.

08 도노반은 지난 일요일에 피자를 먹었다.

09 *yesterday가 있으므로 과거형이 와야 합니다.

10 앨리스는 어제 피아노를 치지 않았다.
    *yesterday가 있으므로 과거형이 와야 합니다.

11 A: 네 누나는 설거지를 했니?

12 A: 네 친구들은 축구를 했니?

13 ② 그들은 작년에 영어를 배웠다.
    ③ 그녀는 컴퓨터 게임을 했다.
    ④ 그는 버스로 학교에 갔다.
    ⑤ 나의 누나는 설거지를 했다.
    *현재를 나타내는 now와 과거동사는 함께 쓸 수 없습니다.

14 그 아기는 어젯밤에 울었니?

15 너는 어제 책을 읽었니?

17 나는 지난 일요일에 나무를 잘랐다.

18 내 형은 컴퓨터 게임을 했다.

19 친구들에게 친절해라.

20 창문을 닫아 주세요.

23 ② 문을 열어라.
    ③ 네 방을 청소해라.
    ④ 10시에 자러 가라.
    ⑤ 설거지를 해주세요.
    *형용사 lazy 앞에는 be동사가 필요합니다.

24 내 누나는 방을 청소하지 않았다.

25 그는 서점에 갔다.

26 캐시는 전등을 샀다.

27 A: 케빈은 어제 설거지를 했니?
    B: 아니, 그렇지 않아.

Chapter 13 시간 전치사

Practice 1
p. 67

1 01 at | 02 at | 03 in | 04 on
05 during | 06 in | 07 on | 08 at
09 at | 10 in | 11 in | 12 for

Practice 2
p. 68

1 01 in | 02 on | 03 at | 04 in
05 on | 06 on | 07 in | 08 for
09 in | 10 on | 11 in | 12 on

Practice 3
p. 69

1 01 at | 02 on | 03 in | 04 during
05 on | 06 at | 07 on | 08 during
09 for | 10 in | 11 for | 12 in

Chapter 14 장소/위치 전치사

Practice 1
p. 71

1 01 in | 02 in front of | 03 in | 04 on
05 in | 06 in | 07 at | 08 next to
09 in | 10 behind | 11 under | 12 in

Practice 2
p. 72

1 01 in | 02 on | 03 in | 04 under
05 next to | 06 behind | 07 in front of | 08 in
09 in | 10 at | 11 in | 12 next to

Practice 3
p. 73

1 01 next to | 02 under | 03 on | 04 in
05 on

해석 및 해설

01 침대 옆에 등이 있다.

02 탁자 아래에 고양이가 있다.

03 벽에 그림이 있다.

04 꽃병 안에 꽃이 있다.

05 탁자 위에 꽃병이 있다.

2 01 in | 02 in front of | 03 on
04 behind | 05 next to

Chapter 15 의문사와 의문문 I

Practice 1 p. 75

1 01 How 02 What 03 Where 04 Who
05 Who 06 When 07 Why 08 What
09 How 10 What 11 Why 12 Where

Practice 2 p. 76

1 01 이것은 무엇이니? 02 다음 버스는 언제니?
03 너는 왜 바쁘니? 04 저 소녀들은 누구니?
05 네 부모님은 어떠시니? 06 네 휴대전화는 어디에 있니?
07 너는 왜 나한테 화가 났니? 08 저것은 무엇이니?
09 네 선생님은 누구시니? 10 서점은 어디에 있니?
11 인터뷰는 언제니? 12 네 집은 어디에 있니?

Practice 3 p. 77

1 01 Who 02 When 03 What 04 Where
05 How 06 What 07 Why 08 Who
09 When 10 What 11 How 12 Who

해석 및 해설

01 저 소녀는 누구니? / 그녀는 내 친구, 앨리스야.
02 크리스마스는 언제니? / 12월 25일이야.
03 이것들은 무엇이니? / 그것들은 딸기야.
04 네 야구모자는 어디에 있니? / 내 야구모자는 책상 위에 있어.
05 날씨는 어떠니? / 비가 와.
06 네가 좋아하는 과일은 뭐니? / 나는 사과를 좋아해.
07 너는 왜 늦었니? / 나는 늦게 일어났어.
08 그들은 누구니? / 그들은 내 반 친구들이야.
09 인터뷰는 언제니? / 인터뷰는 다음 주 월요일이야.
10 이것은 무엇이니? / 내 컴퓨터야.
11 오늘은 어떠니? / 좋아.
12 네 엄마는 누구시니? / 피아노 치는 여자분이 내 엄마야.

Chapter 16 의문사와 의문문 II

Practice 1 p. 79

1 01 What 02 What 03 What 04 do
05 are 06 Why 07 Who 08 can
09 When 10 How 11 does 12 Why

Practice 2 p. 80

1 01 What do you drink 02 What do you have
03 Why do they go
04 Where are you going to stay
05 What does she do 06 Who do you like
07 How does he get 08 When can I see you
09 What are you going to eat
10 Where does he live 11 How can I solve
12 When are they going to visit

Practice 3 p. 81

1 01 What 02 When 03 What
04 Where 05 Who 06 How
07 Why 08 What 09 When
10 Where 11 Why 12 Who

해석 및 해설

01 그녀는 점심으로 무엇을 먹을 거니? / 그녀는 국수를 먹을 거야.
02 그는 언제 자러 가니? / 저녁 11시에.
03 그들은 방과 후에 무엇을 하니? / 그들은 보통 야구를 해.
04 너는 어디에 사니? / 나는 서울에 살아.
05 너는 오늘 누구를 만날 거니? / 나는 캐시를 만날 거야.
06 앨리스는 어떻게 학교에 가니? / 그녀는 버스를 타고 학교에 가.
07 그들은 왜 그 영화를 다시 보기를 원하니? / 그 영화는 매우 재미있어.
08 너는 주머니에 무엇이 있니? / 나는 동전이 조금 있어.
09 너는 한국을 언제 방문할 수 있니? / 나는 다음 달에 방문할 수 있어.
10 그들은 오늘밤 어디에서 머무를 거니? / 그들은 호텔에서 머무를 거야.
11 그는 왜 공원에 가니? / 그는 그의 개를 산책시키러 공원에 가.
12 너는 누구를 가장 좋아하니? / 나는 제임스를 좋아해.

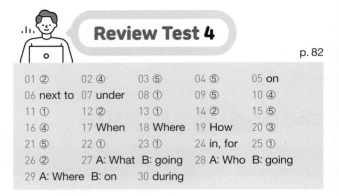

Review Test 4 p. 82

01 ②	02 ④	03 ⑤	04 ⑤	05 on
06 next to	07 under	08 ①	09 ⑤	10 ④
11 ①	12 ②	13 ①	14 ②	15 ⑤
16 ④	17 When	18 Where	19 How	20 ③
21 ⑤	22 ①	23 ①	24 in, for	25 ①
26 ②	27 A: What B: going		28 A: Who B: going	
29 A: Where B: on	30 during			

해석 및 해설

01 나는 월요일에 수영하러 간다. / 나는 9월 10일에 태어났다.
 *달 앞에는 on이 옵니다.
02 나는 7시에 일어난다. / 그는 정오에 점심을 먹는다.
 *시각 앞에는 at이 옵니다.

03 우리는 3일 동안 그 호텔에 머물렀다.
　　*숫자를 동반하는 기간에는 for를 씁니다.
04 ① 나는 월요일에 산책한다.
　　② 그는 밤에 일한다.
　　③ 그는 방학 동안 중국어를 배웠다.
　　④ 그들은 10시에 자러 간다.
　　*연도 앞에는 in이 옵니다.
05 책 위에 사과가 있다.
06 상자 옆에 공이 있다.
07 내 개가 식탁 아래에 있다.
08 그의 삼촌은 지난해 런던에서 살았다.
10 우리는 학교에서 영어를 배운다. / 내 딸은 지금 집에 있다.
11 한국에는 대도시들이 많다. / 우리는 여름에 하이킹을 간다.
12 ① 그 경기는 11시에 시작한다.
　　③ 식탁 위에 컴퓨터가 있다.
　　④ 은행 옆에 서점이 있다.
　　⑤ 꽃병에 장미가 있다.
　　⑤ 고양이가 소파 위에 있다.
　　*도시에는 in이 옵니다.
17 A: 회의는 언제니?
　　B: 다음 주 화요일이야.
18 A: 네 야구모자 어디에 있니?
　　B: 내 야구모자는 책상 위에 있어.
19 A: 날씨가 어떠니?
　　B: 비가 와.
20 A: 그는 어디에서 사니?
　　B: 그는 부산에서 살아.
21 A: 너는 오늘 누구를 만날 거니?
　　B: 나는 앨리스를 만날 거야.
22 A: 너는 내일 뭐할 거니?
　　B: 나는 축구를 할 거야.
24 샘은 5년 동안 서울에서 살았다.
25 그녀는 버스로 학교에 가.
　　① 그녀는 학교에 어떻게 가니?
　　② 그녀는 학교에 언제 가니?
　　③ 그녀의 학교는 어디에 있니?
　　④ 그녀가 좋아하는 과목은 뭐니?
　　⑤ 그녀는 무엇을 하니?
26 그는 7시에 집에 돌아와.
　　① 그는 어떻게 집에 돌아오니?
　　② 그는 언제 집에 돌아오니?
　　③ 그의 사무실은 어디니?
　　④ 그는 어디에 사니?
　　⑤ 그는 누구를 만날 거니?
27 A: 너는 저녁에 무엇을 먹을 거니?
　　B: 나는 피자를 먹을 거야.
28 A: 너는 누구를 만날 거니?
　　B: 나는 할머니를 만날 거야.
29 A: 네 고양이는 어디에 있니?
　　B: 소파 위에 있어.
30 너는 여름 휴가 동안 어디에서 머물 예정이니?

실전모의고사 1회

01 ⑤	02 ④	03 ⑤	04 ⑤	05 ②
06 slowly	07 fast	08 ③	09 ④	
10 October / ninth		11 ②	12 ②	13 ③
14 ③	15 ②	16 ①	17 in front of	
18 A: When　B: (the) third			19 A: Where　B: on	
20 ⑤				

해석 및 해설
01 나는 방과 후에 기타를 친다. / 하늘에 있는 달을 봐라.
02 바구니에는 바나나가 좀 있다.
　　*바구니에 들어갈 수 있고, 복수를 나타내는 것을 고르세요.
03 ① 우리는 정오에 점심식사를 한다.
　　② 마이크는 영어를 배우지 않는다.
　　③ 그는 아침에 우유를 마신다.
　　④ 그들은 일요일마다 축구를 한다.
　　⑤ 창문을 열어주시겠어요?
04 A: 병에 물이 있니?
05 *명사에 -ly가 붙으면 형용사가 됩니다.
08 나는 많은 치즈가 있다. / 교실에 많은 소년들이 있다.
09 *돈은 기수로 읽습니다.
11 ① 식탁 위에 책이 6권 있다.
　　③ 그녀는 세 개의 언어로 말할 수 있다.
　　④ 줄리는 남동생이 둘 있다.
　　⑤ 이것은 나의 첫 한국 방문이다.
　　*5층은 fifth floor라고 써야 합니다.
13 *cry의 과거형은 cried입니다.
14 A: 네 아버지는 설거지를 하셨니?
16 나는 오후에 수영하러 간다. / 봄에 꽃이 핀다.
18 A: 네 생일은 언제니?
　　B: 내 생일은 9월 3일이야.
19 A: 네 가방은 어디에 있니?
　　B: 내 가방은 책상 위에 있어.
20 그는 인천에 살아.
　　① 그는 어떻게 학교에 가니?
　　② 네 삼촌은 언제 돌아오시니?
　　③ 그의 사무실이 어디니?
　　④ 그가 좋아하는 과목은 뭐니?
　　⑤ 네 삼촌은 어디서 사시니?

실전모의고사 2회

01 ③　02 ③　03 ①　04 ③　05 ⑤
06 are　07 is　08 ③　09 ②　10 ⑤
11 many　12 much　13 ⑤　14 ③　15 ④
16 next to　17 Don't watch　18 ③　19 Why
20 came

해석 및 해설

02 나는 방과 후에 피아노를 친다. / 그 문을 열어주시겠어요?

03 ① 우리는 7시에 저녁식사를 한다.
　② 나는 아침에 우유를 마신다.
　③ 하늘에 별들을 봐라.
　④ 그는 기타를 연주한다.
　⑤ 세상에는 많은 동물들이 있다.
　*식사 이름 앞에는 관사를 쓰지 않습니다.

04 A: 상자에 사과들이 있니?

05 *rich는 '부유한'이고, old는 '낡은'입니다.

06 가방 안에 책들이 좀 있다.

07 병에 우유가 좀 있다.

08 ① 그 소년들은 큰 소리로 노래한다.
　② 나의 엄마는 주의 깊게 운전하신다.
　③ 그들은 친절한 학생들이다.
　④ 그들은 매우 빨리 달린다.
　⑤ 그녀는 행복하게 웃는다.
　*형용사는 일반적으로 명사 앞에서 수식합니다.

09 *12의 서수는 twelfth입니다.

10 ① 교실에 많은 의자들이 있다.
　② 그녀는 많은 돈이 있다.
　③ 도서관에는 많은 책들이 있다.
　④ 톰은 많은 치즈가 있다.
　*many 다음에는 복수명사가 와야 합니다.

11 병에 많은 동전들이 있다.

12 너는 많은 돈이 있니?

13 A: 네 친구들은 영어를 배웠니?

15 나는 버스 정류장에서 버스를 기다렸다. / 그 동물원은 밤에 연다.

18 나는 제시를 만날 것이다.
　① 그녀는 어떻게 학교에 가니?
　② 제시는 언제 돌아오니?
　③ 너는 누구를 만날 거니?
　④ 너는 언제 제시를 만날 거니?
　⑤ 제시는 어디에서 사니?

19 A: 너는 왜 늦었니?
　B: 스쿨버스를 놓쳤어.

20 그의 삼촌은 어제 집에 돌아왔다.

실전모의고사 3회

01 ③　02 ⑤　03 ③　04 ④　05 ⑤
06 read　07 studied　08 ④　09 ⑤
10 August / twelfth　11 ③　12 Be　13 ②
14 ②　15 ⑤　16 ⑤　17 during　18 ①
19 A: How　B: bus
20 My brother didn't visit the museum.

해석 및 해설

01 *동사가 is이므로 병에 들어갈 수 있는 셀 수 없는 명사를 고르세요.

02 ① 우리는 7시에 저녁을 먹는다.
　② 우리는 학교에서 역사를 배운다.
　③ 그는 중국에 산다.
　④ 그들은 방과 후에 농구를 한다.
　⑤ 샘은 바이올린을 연주한다.
　*play 다음에 악기가 오면 the를 씁니다.

03 나는 사과가 조금 있다. / 나는 치즈가 조금 있다.
　*some은 복수명사나 셀 수 없는 명사와 함께 쓸 수 있습니다.

04 ① 가방에 책들이 있다.
　② 방에 소파가 있다.
　③ 나무 옆에 소년이 있다.
　⑤ 병에 물이 좀 있다.
　*are가 있으므로 복수명사가 와야 합니다.

05 *연도는 기수로 읽습니다.

06 그는 어제 신문을 읽었다.

07 도노반은 어젯밤에 영어공부를 했다.

08 A: 네 아빠는 은행에서 일하셨니?

09 A: 식탁 위에 포크가 있었니?

11 *동사가 과거이므로 과거부사가 와야 합니다.

12 도서관에서 조용히 해라.

13 *send의 과거형은 sent입니다.

15 나는 화요일에 수업이 5개 있다. / 그는 3월 10일에 태어났다.

16 겨울은 춥다. / 그는 2년 동안 중국에서 살았다.

19 A: 너는 어떻게 학교에 가니?
　B: 나는 버스로 학교에 가.

20 나의 형은 박물관을 방문하지 않았다.

Longman

WORKBOOK

& ANSWERS

Inkboo
www.inkbooks.co
구매문의 02) 455 9

실전모의고사 **1**회

이름 :   점수 :

---

01 다음 중 빈칸에 들어갈 말로 바르게 짝지어진 것을 고르세요.

> • I play _____ guitar after school.
> • Look at _____ moon in the sky.

① a - a
② a - an
③ a - the
④ an - the
⑤ the - the

02 다음 중 빈칸에 알맞은 것을 고르세요.

> There are some _____ in the basket.

① apple
② strawberry
③ water
④ bananas
⑤ toy

03 다음 중 빈칸에 정관사가 필요한 문장을 고르세요.

① We have _____ lunch at noon.
② Mike doesn't learn _____ English.
③ He drinks _____ milk in the morning.
④ They play _____ soccer every Sunday.
⑤ Would you open _____ window?

04 다음 중 대화의 질문에 알맞은 대답을 고르세요.

> A: Is there water in the bottle?
> B: No, _____ .

① it isn't
② they aren't
③ there aren't
④ I am not
⑤ there isn't

05 다음 중 부사가 아닌 것을 고르세요.

① quickly
② friendly
③ really
④ carefully
⑤ easily

[06–07] 다음 주어진 단어를 이용하여 빈칸에 알맞은 말을 쓰세요.

06

> slow

She reads a book _____ .
그녀는 책을 천천히 읽는다.

07

> fast

They run _____ .
그들은 빨리 달린다.

08 다음 중 빈칸에 들어갈 말로 바르게 짝지어진 것을 고르세요.

> • We have _____ cheese.
> • There are _____ boys in the classroom.

① many - much
② many - many
③ a lot of - many
④ many - a lot of
⑤ much - much

09 다음 중 수 읽기가 잘못된 것을 고르세요.

① 2011년: two thousand eleven
② 518: five hundred eighteen
③ 6월 3일: June (the) third
④ $97: ninety-seventh dollars
⑤ 625-7833: six two five, seven eight double three

10 다음 달력을 보고 알맞은 달과 날짜를 영어로 쓰세요.

	10					
Mon	Tue	Wed	Thur	Fri	Sat	Sun
	1	2	3	4	5	6
7	8	9	10	11	12	13
14	15	16	17	18	19	20
21	22	23	24	25	26	27
28	29	30	31			

　달　　　　　　　　　날짜

_____ the _____

---

11 다음 중 밑줄 친 부분이 어색한 것을 고르세요.

① There are six books on the table.

② My house is on five floor.

③ She can speak three languages.

④ Julie has two brothers.

⑤ This is my first visit to Korea.

12 다음 중 우리말을 영어로 바르게 쓴 것을 고르세요.

> 그들은 바다에서 수영했니?

① Do they swim in the sea?

② Did they swim in the sea?

③ Did they swims in the sea?

④ Do they swims in the sea?

⑤ Does they swim in the sea?

13 다음 중 동사의 과거형이 잘못 연결된 것을 고르세요.

① live - lived   ② come - came

③ cry - cryed   ④ make - made

⑤ walk - walked

14 다음 중 대화의 빈칸에 알맞은 대답을 고르세요.

> A: Did your father wash the dishes?
> B: Yes, _____ _____.

① he is   ② he do

③ he did   ④ he does

⑤ she was

15 다음 중 우리말을 영어로 바르게 쓴 것을 고르세요.

> 그들은 어제 쇼핑하러 가지 않았다.

① They don't go shopping yesterday.

② They didn't go shopping yesterday.

③ They weren't go shopping yesterday.

④ They didn't went shopping yesterday.

⑤ They don't goes shopping yesterday.

16 다음 중 빈칸에 공통으로 들어갈 것을 고르세요.

> • I go swimming _____ the afternoon.
> • Flowers bloom _____ spring.

① in   ② on

③ to   ④ at

⑤ the

17 다음 빈칸에 알맞은 말을 쓰세요.

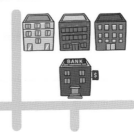

> There is a bank _____ the buildings.
> 건물들 앞에 은행이 있다.

→ _____

[18-19] 다음 대화의 빈칸에 알맞은 말을 쓰세요.

18

> A: _____ is your birthday?
> B: My birthday is September _____.

A: _____   B: _____

19

> A: _____ is your bag?
> B: My bag is _____ the desk.

A: _____   B: _____

20 다음 중 보기의 대답에 알맞은 질문을 고르세요.

> He lives in Incheon.

① How does he go to school?

② When does your uncle come back?

③ Where is his office?

④ What is his favorite subject?

⑤ Where does your uncle live?

[11–12] 다음 빈칸에 many와 much 중 알맞은 것을 쓰세요.

11

There are _____ coins in the bottle.

12

Do you have _____ money?

13 다음 중 대화의 빈칸에 알맞은 대답을 고르세요.

A: Did your friends learn English?
B: Yes, _____ _____.

① he is   ② we do
③ we did   ④ they does
⑤ they did

14 다음 중 우리말을 영어로 바르게 쓴 것을 고르세요.

그들은 어제 축구를 하지 않았다.

① They don't play soccer yesterday.
② They don't played soccer yesterday.
③ They didn't play soccer yesterday.
④ They didn't play the soccer yesterday.
⑤ They weren't play soccer yesterday.

15 다음 중 빈칸에 공통으로 들어갈 것을 고르세요.

- I waited for the bus _____ the bus stop.
- The zoo opens _____ night.

① in   ② on
③ to   ④ at
⑤ the

16 다음 빈칸에 알맞은 전치사를 쓰세요.

There is a bakery _____ the bookstore.
서점 옆에 제과점이 있다.

→ _____

17 다음 우리말과 일치하도록 빈칸에 알맞은 말을 쓰세요.

오늘 밤 TV를 보지 마라.

→ _____ television tonight.

18 다음 중 보기의 대답에 알맞은 질문을 고르세요.

I'm going to meet Jessie.

① How does she go to school?
② When does Jessie come back?
③ Who are you going to meet?
④ When are you going to meet Jessie?
⑤ Where does jessie live?

19 다음 대화의 빈칸에 알맞은 것을 고르세요.

A: _____ were you late?
B: I missed the school bus.

→ _____

20 다음 밑줄 친 부분을 바르게 고치세요.

His uncle <u>comes</u> back home yesterday.

→ _____

이름 :   점수 :

---

01 다음 중 셀 수 없는 명사가 <u>아닌</u> 것을 고르세요.
① water   ② milk
③ pencil   ④ salt
⑤ cheese

02 다음 중 빈칸에 공통으로 들어갈 것을 고르세요.

> • I play _____ piano after school.
> • Would you open _____ door?

① a   ② an
③ the   ④ any
⑤ much

03 다음 중 빈칸에 정관사가 필요 <u>없는</u> 문장을 고르세요.
① We have _____ dinner at seven.
② I drink milk in _____ morning.
③ Look at the stars in _____ sky.
④ He plays _____ guitar.
⑤ There are many animals in _____ world.

04 다음 중 대화의 질문에 알맞은 대답을 고르세요.

> A: Are there apples in the box?
> B: No, _____ _____.

① it isn't   ② they aren't
③ there aren't   ④ I am not
⑤ there isn't

05 다음 중 형용사의 반대말로 짝지어지지 <u>않은</u> 것을 고르세요.
① clean - dirty   ② fast - slow
③ strong - weak   ④ tall - short
⑤ rich - old

[06–07] 다음 빈칸에 알맞은 be동사를 쓰세요.

06

There _____ some books in the bag.

07

There _____ some milk in the bottle.

08 다음 중 밑줄 친 것의 쓰임이 <u>다른</u> 것을 고르세요.
① The boys sing <u>loudly</u>.
② My mom drives <u>carefully</u>.
③ They are <u>kind</u> students.
④ They run <u>fast</u>.
⑤ She smiles <u>happily</u>.

09 다음 중 기수와 서수의 연결이 <u>어색한</u> 것을 고르세요.
① five - fifth   ② twelve - twelveth
③ ten - tenth   ④ twenty - twentieth
⑤ thirty - thirtieth

10 다음 중 밑줄 친 부분이 어색한 것을 고르세요.
① There are <u>many chairs</u> in the classroom.
② She has <u>a lot of money</u>.
③ There are <u>many books</u> in the library.
④ Tom has <u>a lot of cheese</u>.
⑤ There are <u>many flower</u> in the garden.

11 다음 중 빈칸에 올 수 없는 말을 고르세요.

> Alice went fishing _____.

① yesterday ② last night
③ tomorrow ④ last week
⑤ last Sunday

12 다음 빈칸에 알맞은 말을 쓰세요.

_____ quiet in the library.

13 다음 중 동사의 과거형이 잘못 연결된 것을 고르세요.
① cut - cut
② send - sended
③ study - studied
④ sing - sang
⑤ work - worked

14 다음 중 우리말을 영어로 바르게 쓴 것을 고르세요.

> 도서관은 우체국 뒤에 있다.

① The library is under the post office.
② The library is behind the post office.
③ The library is in front of the post office.
④ The library is next to the post office.
⑤ The library is in the post office.

[15–16] 다음 중 빈칸에 들어갈 말이 바르게 짝지어진 것을 고르세요.

15

> • I have five classes _____ Tuesday.
> • He was born _____ March 10th.

① in - on ② on - in
③ to - at ④ at - at
⑤ on - on

16

> • It is cold _____ winter.
> • He lived in China _____ two years.

① in - on ② on - on
③ to - in ④ for - in
⑤ in - for

17 다음 우리말과 일치하도록 빈칸에 알맞은 말을 쓰세요.

> 우리는 방학 동안 캐나다를 방문했다.

→ We visited Canada _____ the vacation.

18 다음 중 우리말과 일치하는 영어문장을 고르세요.

> 너는 어디에서 사니?

① Where do you live?
② How do you live?
③ What do you do?
④ Where are you from?
⑤ Where are you going to live?

19 다음 대화의 빈칸에 들어갈 말을 고르세요.

> A: _____ do you go to school?
> B: I go to school by _____.

A: _____ B: _____

20 다음 단어들을 순서에 맞게 알맞게 배열하세요.

> didn't / my brother / visit / the museum

→ _____

01 다음 중 빈칸에 알맞은 것을 고르세요.

> There is some _____ in the bottle.

① apple   ② coin

③ water   ④ banana

⑤ computer

02 다음 중 빈칸에 정관사가 필요한 문장을 고르세요.

① We eat _____ dinner at 7.

② We learn _____ history at school.

③ He lives in _____ China.

④ They play _____ basketball after school.

⑤ Sam plays _____ violin.

03 다음 중 빈칸에 공통으로 들어갈 것을 고르세요.

> • I have _____ apples.
>
> • I have _____ cheese.

① a   ② an

③ some   ④ any

⑤ many

04 다음 중 어색한 문장을 고르세요.

① There are books in the bag.

② There is a sofa in the room.

③ There is a boy next to the tree.

④ There are student in the classroom.

⑤ There is some water in the bottle.

05 다음 중 수 읽기가 잘못된 것을 고르세요.

① 5,316: five thousand three hundred sixteen

② 625-8100: six two five, eight one double zero

③ 11월 15일: November (the) fifteenth

④ $97: ninety-seven dollars

⑤ 1995년: nineteen ninety-fifth

[06–07] 다음 주어진 단어를 이용하여 빈칸에 알맞은 말을 쓰세요.

06

read

He _____ a newspaper yesterday.

07

study

Donovan _____ English last night.

[08–09] 다음 중 대화의 빈칸에 알맞은 대답을 고르세요.

08

> A: Did your dad work at a bank?
>
> B: No, _____ _____.

① he isn't   ② he wasn't

③ he don't   ④ he didn't

⑤ he doesn't

09

> A: Were the forks on the table?
>
> B: Yes, _____ _____.

① it is   ② it was

③ it wasn't   ④ they are

⑤ they were

10 다음 달력을 보고 알맞은 달과 날짜를 영어로 쓰세요.

달   날짜

_____ the _____